Editora responsable
Ana Doblado

Corrección de textos
Bárbara S. Williams, sobre una adaptación
de J. Ignacio Herrera

Ilustraciones
Carlos Busquets

Diseño y maquetación
Myriam Sayalero

© SERVILIBRO EDICIONES, S.A.- Obra colectiva
C/ Campezo s/n - 28022 Madrid
Tel.: 913 009 102 - Fax: 913 009 118

365
fábulas

SERVILIBRO

UNA AGUJA EN UN PAJAR

Son famosas en el barrio las reuniones de los sábados por la tarde en casa de doña Conejara. A ellas asisten todas las conejas de la zona, quienes, mientras bordan con mayor o menor habilidad, hablan de todos los temas habidos y por haber.

Doña Conejara es muy admirada por su desbordante imaginación; las historias que cuenta son muy celebradas.

—Si hubierais visto a la paloma encantada en el momento de ser cortejada por su príncipe alado. ¡Qué preciosidad! ¡Qué radiante estaba! Sus ojos despedían un fuego extraño y cautivador, y su sonrisa aceleraba la caída del sol hacia el crepúsculo.

Así habla doña Conejara. No es raro que, en un momento dado, sus colegas dejen de bordar y la escuchen, arrobadas. Mientras habla, doña Conejara hace muchos gestos para acompañar sus palabras. En uno de ellos, la aguja que maneja se desenhebra y sale despedida por los aires. Finalmente, va a caer sobre un montón de heno.

Todas las conejas (incluida la misma doña Conejara) se ponen a buscar afanosamente la aguja perdida, que por añadidura, es de oro.

Sin embargo, ¿quién sería capaz de encontrar una aguja en un pajar?

«No pretendas imposibles.»

SERENATA A UNA PERRITA

Hace mucho frío y Perrita se ha acatarrado; aunque a ella le gusta salir y corretear, su madre no la deja salir ni siquiera al jardín a jugar para que no coja más frío. Por eso Perrita está muy triste y pasa horas asomada a la ventana.

De pronto, algo llama su atención. Un hombre vestido de una forma muy rara, con pajarita de color amarilla, chaqué de color rojo, pantalones azules y calcetines de rayas, pasa por delante de su ventana tocando la guitarra y haciendo cabriolas.

Perrita (que tiene los oídos taponados por el catarro) no oye nada, pero se divierte mucho. Pasado un rato, el hombre se va, y Perrita ya no está triste.

«Anima siempre a los que sufren.»

LA TORTUGA

Había una vez una tortuga que siempre iba con su casita a cuestas. Un día la tortuga se cansó de llevar consigo tan pesada carga y la dejó detrás de un matorral. De este modo la tortuga se sintió más ágil y así pudo caminar a un paso más rápido y ligero.

De repente, estalló una tormenta. La lluvia empapó a la tortuga, que se lamentaba pensando lo bien que estaría en su casa, calentita.

Cuando pasó la tormenta, la tortuga regresó a su casita y desde entonces no volvió a separarse de su caparazón por lento y pesado que fuera su caminar y avanzase poco.

«Quien mucho corre pronto para.»

LA LEONA

Una leona conocida por su gran ferocidad tenía la horrible costumbre de comerse todos los cachorros de sus vecinos. Era tan cruel que les decía a los padres, lanzando grandes y temibles rugidos:

—Podéis sentiros afortunados de que prefiera su carne a la vuestra.

Llegó un día en que la leona tuvo cachorros y se puso muy contenta, pero en una ocasión llegaron unos cazadores y, aprovechando una distracción de la leona, se llevaron todos sus cachorros.

El dolor de la leona fue tan grande y estaba tan desesperada por la pérdida de sus queridos cachorritos que acudió a casa de sus vecinos buscando consuelo.

Sin embargo, le hicieron poco caso, incluso la ignoraron, pues se acordaban de las fechorías que la leona había cometido con sus hijos. Así que la leona tuvo que sobreponerse sola a su gran tristeza.

«La desgracia un día puede llegarle a cualquiera.»

EL TIGRITO QUE SE MORDÍA LAS UÑAS

Érase una vez un tigrito muy travieso que tenía la costumbre de morderse las uñas. Su madre le regañaba todos los días.

—Deberías observar a tus amiguitos. Ellos tienen las uñas largas y lustrosas, pueden defenderse con ellas. Tú, en cambio...

Pero Tigrito no hacía caso y seguía mordiéndoselas aunque estuviese mal.

Un día que estaba jugando con sus amigos, todos se subieron a un árbol, pero él no pudo seguirlos porque sus uñas, al ser tan cortitas. resbalaban por el tronco.

—¡Oh, no puedo agarrarme al tronco de este árbol!

¡Si tuviera las uñas largas como ellos sería más fácil! Así es imposible.

Sus amigos le llamaban desde arriba. Pero el tigrito, avergonzado, se escondió detrás de un matorral y no volvió a morderse las uñas.

«La experiencia es la mejor maestra.»

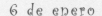

EL MATRIMONIO OSÓN

—Acepto, yo nunca he perdido una apuesta —contesta ella.

Durante el viaje, don Osón se acuerda de que no ha metido en su maleta el cepillo de dientes. Muy apenado, comenta a su mujer:

—No he traído el cepillo de dientes. ¿Qué puedo hacer? —pregunta don Osón visiblemente consternado por su olvido.

Sin decir una sola palabra, doña Osa busca entre los bultos hasta dar con el cepillo de dientes. Se lo ofrece con una sonrisa.

—Bueno —dice ella muy satisfecha—. Acabo de ganar un delicioso helado.

«Más vale ser precavido.»

A don Osón no le gusta llevar muchos paquetes cuando viaja, sin embargo, doña Osa cada vez sale de casa con más bultos.

—¿Para qué quieres llevar cosas que no son necesarias? —le pregunta, intrigado.

—Mujer prevenida vale por dos —responde.

Antes de salir don Osón hace una apuesta.

—Te apuesto un helado a que no necesitamos ninguna de las cosas que te has empeñado en traer —dice él, un poco molesto.

EL GATO, EL ZORRO Y EL GALLO

Había una vez un zorro al que le gustaba cantar... y cazar gallinas. Iba a la puerta del gallinero y cantaba hermosas canciones por las noches.

Cuando una gallina asomaba la cabeza, ¡izas!, recibía un garrotazo por parte del zorro. Así un día tras otro, hasta que el gallo encargado del gallinero se lo dijo a un bondadoso gato que vivía cerca y éste decidió dar una lección al zorro.

Una tarde se decidió a llevar a cabo su plan. Sin dudarlo ni un momento, cogió un palo y se encaminó hacia la casa del zorro. Cuando llegó hasta ella comenzó a cantar debajo de su ventana. El zorro, sintiendo una enorme curiosidad ante aquel sonido, asomó la cabeza.

—¿Quién canta una canción tan bonita?

Nunca lo supo, porque el gato le atizó un garrotazo, y así terminaron las aventuras del zorro y sus canciones.

«La curiosidad es mala consejera y la gula, peor compañera.»

EL GATITO GLOTÓN

Había una vez un gatito al que le gustaban mucho las sardinas. Un día fue al mercado y, en un descuido del pescadero, el gato saltó y cogió una sardina. El pescadero corrió tras el gato. Éste, muy veloz, cruzó un prado y llegó a un arroyo. En sus aguas el gato vio algo que le llenó de envidia: otro gato que parecía estar junto a él llevaba en su boca una sardina mayor que la suya.

Sin pensarlo ni un momento el gato se lanzó al agua intentando arrebatarle la sardina. Pronto vio que no había tal gato ni tal sardina. En realidad había visto su imagen deformada. Tuvo que esforzarse mucho para salir del agua. Entretanto, la sardina había desaparecido en el arroyo.

«En vez de conformarse con la sardina que tenía, se dejó llevar por su glotonería.»

EL LEÓN Y LA ARDILLITA

Un león descansaba bajo un árbol. De pronto, una ardillita muy imprudente pasó junto al rey de la selva. Éste sintió ganas de jugar con la ardillita y la persiguió; el pobre animalito pensó que el león quería comérsela.

—Si me dejas ir, te ayudaré a luchar contra tus enemigos —dijo la ardillita llena de miedo para intentar salir viva.

—¡Ja, ja! ¿Ayudarme tú, insignificante bichejo? ¡Anda, vete y no me impacientes! —respondió despectivo el león.

Un día, el orgulloso león cayó en una trampa; intentó escapar de la red, pero no lo consiguió. Entonces apareció la ardillita que, pacientemente, empezó a cortar la red con sus afilados dientecillos. De esta manera, el león se libró. Arrepentido, dijo:

—Perdóname, ardillita. No volveré a reírme de ti. Me has dado una lección.

«Sabio es el que reconoce sus errores.»

EL LENGUAJE DEL PATITO

Había una vez un patito muy gordito que quería conocer mundo. Sin embargo, su mamá nunca lo llevaba de viaje, pues era peligroso, hasta que un día se decidió y se marchó de casa a vagabundear por ahí.

Andando, se encontró con un gatito que lo saludó con un leve maullido.

—Miau, miau —repetía una y otra vez. El patito quería imitarle, pero no podía.

Más adelante encontró a otros animalitos; primero un pajarito; después una vaca. Ambos le saludaron con su particular lenguaje, que el patito quiso imitar; pero no lo consiguió. No lograba que le entendieran.

Entretanto, doña Pata había salido en busca del patito y cuando lo encontró, tranquila al ver que estaba a salvo, llena de alegría lo saludó con su peculiar «cua, cua».

—Cua, cua —repitió el patito mientras regresaba a casa acompañado de su madre.

«Cada uno debe conformarse con lo que puede hacer.»

EL HIPOPÓTAMO EGOÍSTA

Había una vez un hipopótamo que siempre se colocaba el primero en la parada del autobús, sin preguntar si había alguien antes que él, y además entraba dando empujones y codazos por doquier.

Ya en el asiento, abría un gran periódico y tapaba el rostro de su compañero, tosía con la boca muy abierta y se movía constantemente para ponerse cómodo molestando a todos. Al bajarse salía del autobús dando pisotones.

Al fin, todos podían respirar tranquilos.

«Vivimos en sociedad y no debemos molestar a los demás.»

LOS DOS GATITOS

Había una vez un gatito que vivía en el campo. Un día recibió una carta de un familiar que vivía en la ciudad; en ella le anunciaba su visita. El gato empezó a buscar comida para invitar a su pariente.

A éste no le gustó la comida que le ofreció el gatito, pues estaba acostumbrado a comer los refinados manjares de la ciudad. Antes de marcharse, le invitó a visitarlo.

En la ciudad, el gatito tardó mucho en encontrar el domicilio de su pariente. Ruidos, sobresaltos, pisotones de la gente, amenazas de los coches...

Su pariente le recibió y le obsequió con los más exquisitos manjares. Durante la comida, el ama de llaves entró chillando; un perro callejero la perseguía rabioso.

Muy nervioso y atemorizado, nuestro gatito regresó al campo. Pensó que no valía la pena vivir con tanto lujo a costa de perder la tranquilidad. Probablemente su pariente acabaría enfermando de los nervios o con úlcera de estómago.

«Es mejor vivir en el campo con pocas cosas, que en la ciudad con muchas.»

LA VACA Y EL PERRO

Aprovechando que su amo se había dormido, una vaca comenzó a adentrarse en el bosque acompañada por el perro guardián.

Al cabo de un rato de estar caminando, el perro sintió un hambre enorme. Recordó que en la cesta que llevaba la vaca sobre su cabeza había un trozo de pan. Pidió a la vaca que se agachase para cogerlo. La vaca respondió algo altanera:

—No me molestes. Estoy ocupada buscando hierba fresca —dijo la vaca sin hacerle caso.

El perro se quedó sin comer y continuaron su camino. Al poco rato, un lobo salió de la espesura, con las fauces abiertas y se abalanzó sobre la vaca, que rogó al perro que la defendiese; pero él se alejó de allí dejándola sola y el lobo se la comió.

«El egoísta no encuentra ayuda.»

LOS DOS CANGREJOS

seguros de despertar la admiración de tantos y tantos animalitos marinos.

Un día, el cangrejo más grande vio cómo su compañero andaba de lado. ¡Qué vergüenza ir en compañía de semejante zoquete! ¡Qué pensarían los demás de él!

—¿Por qué no andas como los demás cangrejos, estúpido? —dijo a su compañero.

Éste no respondió nada, pero observó que su amigo también andaba de lado.

«No conviene fijarse en los defectos de los demás, porque seguramente también nosotros estamos llenos de ellos.»

Dos cangrejos, uno muy grande y viejo, otro más pequeño y jovencito, salían a menudo juntos de paseo. Iban por la playa

LA RANA Y EL BUEY

Había una vez una rana muy envidiosa que no hacía caso a los demás y menos al oír frases como ésta: «He visto el buey más grande, hermoso y fuerte de la tierra».

En ese caso, la rana contestaba muy altanera y orgullosa, en voz alta:

—¡Bah!, exageras, mosquito inútil. Nadie puede ser tan bella y fuerte como yo.

Un día, vio a un buey que era realmente grande, el más grande que había visto en toda su vida. Envidiosa, la rana tomó mucho aire para aumentar de tamaño. Se fue hinchando más y más, tanto, que al final estalló.

«Es de gran sabiduría poder aceptarse cada uno como es.»

EL OSO MIEDOSO

Un oso muy corpulento y fuerte decía orgulloso:

—Soy el oso más fuerte del mundo. No hay animal capaz de vencerme. Soy el mejor.

Para comprobarlo, cuando él no se daba cuenta, todos buscaban algo que pudiera atemorizarle, pero no conseguían encontrarlo.

Un día estalló una gran tormenta con muchos relámpagos y truenos que hacían un ruido tremendo en el cielo y lo iluminaban.

Entonces, algunos animalillos pudieron ver llenos de asombro cómo el gran oso salía corriendo de la cueva aterrorizado y pedía auxilio dando grandes rugidos. Al fin habían encontrado algo que daba miedo al gran animal. No era tan valeroso.

«Si uno es valiente no puede ser miedoso.»

LA BALLENITA ORGULLOSA

La ballenita se miraba en el espejo diciéndose a sí misma:

—Soy la más hermosa de los mares.

No jugaba ni charlaba con nadie.

Un día, la hermosa ballenita cayó en la red de unos pescadores. Por más que lo intentó, no pudo librarse de ella. Entonces, todos los peces, grandes y pequeños, se decidieron a ayudarla. Entre todos, con mucho esfuerzo y valor, rompieron la red para liberar a la ballenita.

Desde entonces la ballenita, agradecida por la ayuda de los demás peces, aprendió a querer y a respetar a todos.

«Piensa en los demás y aprende a querer.»

LOS GATOS Y LOS RATONES

Había una vez dos animalitos que eran muy buenos amigos. Se llamaban Micifuz y Ratoncito, andaban siempre juntos y lo pasaban muy bien, aunque sus padres no querían que fueran amigos porque, según cuenta la leyenda, los gatos y los ratones siempre han sido enemigos y no podían estar juntos.

Un día paseaban por la calle Micifuz y su padre. De pronto, unos niños traviesos empezaron a tirarles del rabo y a molestarles con bromas. Padre e hijo maullaban lastimosamente, pero nadie acudía en su ayuda.

Micifuz logró escaparse y acudió en busca de su amigo Ratoncito que, en compañía de su padre don Ratón y la familia Ratonil, corrió a salvar al señor Micifuz.

Desde entonces también son muy amigos los padres de Micifuz y Ratoncito.

«Los verdaderos amigos siempre deben ayudarse.»

EL DINOSAURIO

Un día en que el dinosaurio Dino iba alegre caminando por el campo, pisó sin querer una florecilla que no tardó en marchitarse y morir. Dino se puso muy triste y sus amigos decidieron buscar una solución.

El saltamontes, que era el más sabio de todos, dijo decidido su idea:

—Si Dino tiene tanto miedo de aplastar las flores, que salte de puntillas, así no hará daño a nadie.

Desde entonces Dino saltó y bailó siempre de puntillas.

«Es bueno buscar el lado positivo.»

LOS RATONCITOS DESOBEDIENTES

Ratoncita y Ratoncito eran dos hermanos bastante desobedientes. Casi nunca hacían caso de los consejos de sus padres; por ejemplo, por las noches, no querían ir a dormir cuando su madre se lo ordenaba.

Una noche salieron a jugar con sus amigos y no encontraron a ninguno porque ya estaban en la cama durmiendo. Siguieron andando y pronto se dieron cuenta de que estaban muy lejos de su casa. Al ver que estaban solos, Ratoncita y Ratoncito sintieron miedo y se abrazaron. De pronto, oyeron un ruido. ¿Sería un gato?

Sus padres, preocupados al no verles, habían salido en su busca. ¡Y eran ellos los que habían hecho el ruido!

Los dos ratoncitos regresaron a casa muy contentos y aliviados, pues lo habían pasado muy mal y habían sentido miedo. Así prometieron que nunca más volverían a escaparse.

«Es malo desobedecer.»

LA GALLINA ENFERMA

Una tarde, don Gato fue a visitar a doña Gallina, que estaba en cama muy enferma. Pero lo que de verdad quería era comérsela.

«Cuando se duerma ¡zas!, me la como en un santiamén», pensaba don Gato.

Doña Gallina, que era muy lista, adivinó lo que tramaba don Gato y tramó un plan.

—¡Aaay! ¿Podría hervir agua? La necesito para mis pies. ¡Los tengo tan fríos! —pidió doña Gallina fingiendo estar enferma.

El gato lo hizo y le llevó el agua hervida. Cuando la tuvo cerca dio un fuerte aletazo y salpicó con agua hirviendo la cola de don Gato. Éste salió corriendo aullando de dolor. Nunca más volvió a visitar a doña Gallina.

«Las malas ideas dan malos resultados.»

Hace mucho frío y doña Vaca busca un refugio para pasar el invierno. Tras mucho caminar encuentra una cabra sola en el monte.

24 de enero

¡YA LLEGA EL INVIERNO!

—Buenos días, doña Cabra, ¿podría ayudarme a hacerme un refugio para pasar el invierno?

—Desde luego, doña Vaca —responde la cabra de buen humor.

Ambas buscan un sitio para construir una cabaña. En el camino se topan con un cerdo, un pato y un jabalí, a los que también invitan a unirse a ellas.

—Sí, queremos trabajar con vosotras —dicen los tres muy animados.

Pronto encuentran un lugar apropiado y construyen una cabaña. ¡Hay que darse prisa porque llega el invierno!

«Trabajar juntos siempre es bueno.»

25 de enero

EL OSO HORMIGUERO Y EL RATÓN

Un oso hormiguero se reía de un ratón que paseaba por el bosque.

—¿Por qué te ríes de mí? —dijo el ratón.

—Eres tan pequeño que puedo pisarte. ¡Ja!

Poco después el ratón oyó unos gritos. El oso era perseguido por un elefante furioso.

El ratón, que sabía que los elefantes tienen miedo de los ratones, le gritó:

—Te atreves con los animalitos indefensos, ¿eh? ¿Por qué no te metes conmigo, señor elefante? Seguro que no te atreves.

El elefante aterrorizado dio media vuelta y se alejó. El oso hormiguero estaba avergonzado, pues había menospreciado al ratón, y le pidió disculpas. En adelante fueron muy buenos amigos.

«No desprecies a los indefensos, siempre pueden ayudarte.»

DOÑA JIRAFA

Una mañana estaban hablando la jirafa y la cebra de los achaques de la primera.

—¡Ay, doña Cebra! ¡Qué mal me siento esta mañana! —decía la jirafa lamentándose.

—Vamos a ver, vecina... ¡Hum! Esta garganta tiene mal aspecto. Voy a la farmacia —dijo la cebra, dispuesta a ayudar a su vecina.

Tan largo era el cuello que no había en la farmacia vendas ni pastillas suficientes. Sin embargo, doña Cebra fue muy lejos a por los medicamentos. Tardó tanto en regresar, que cuando llegó vio que doña Jirafa ya se había curado.

En vez de lamentarse por lo inútil de su viaje se alegró al ver que ya estaba bien.

¡Ah, quién tuviera por vecina a doña Cebra!

«La buena voluntad siempre da buenos resultados.»

LA PALOMA Y LA HORMIGA

Una hormiguita fue a beber a una charca pero resbaló y cayó al agua.

Una paloma que pasaba por allí le arrojó una ramita para que se agarrara y la hormiga se puso a salvo sin gran esfuerzo.

—Muchísimas gracias. Sin tu ayuda me habría ahogado.

Un día, la paloma fue vista por un cazador, que se echó la escopeta dispuesto a dispararle.

En esto, sintió un picor en su mano derecha y tuvo que dejar la escopeta para rascarse. ¿Qué había pasado? La hormiga, al ver que la paloma estaba en peligro, había mordido la mano del cazador.

La paloma se dio cuenta de lo que su amiga había hecho, y rápidamente se alejó. Gracias a la hormiga había salvado la vida.

«Debemos ayudarnos unos a otros.»

LA LIEBRE Y LA MARIPOSA

Una mariposa cayó en una charca y, como no sabía nadar, estaba a punto de ahogarse. Al verla en peligro, un topo que estaba en la orilla comenzó a chillar pidiendo auxilio. Cuando vio a una hermosa liebre el topo le rogó:

—¡Por favor, doña Liebre, ayude a esa mariposa! ¡Se está ahogando! ¡No sabe nadar!

—No puedo, lo siento. Si me meto en la charca, mi vestido se ensuciará —respondió la liebre mientras se alejaba.

Pasó por allí una liebre fea y huesuda, que al ver a la mariposa se arrojó al agua y la salvó. No le importó mancharse el vestido.

Su generoso gesto la convirtió en la más hermosa de todas las liebres del lugar.

«No seas egoísta y abandones a tus compañeros.»

EL PATO GUASÓN

Don Pato trabaja mucho y quiere descansar, pues lo necesita. Un día se le ocurrió una idea, así que le dijo a sus hijos:

—Me voy a dar un chapuzón en la piscina. ¡Allá voy!

Aunque hacía calor todavía no era época de bañarse, y el agua estaba muy fría.

—¡Me voy a tirar al agua vestido! —y empieza a bañarse ante la sorpresa de sus hijos, que no pueden creer lo que ven.

—Pero... ¡papá! ¡Llevas el reloj puesto!

¡Pobre don Pato! ¡Se ha quedado sin su bonito reloj! Vaya disgusto más grande. ¡Qué fácilmente sustituye el llanto a la alegría!

«Si no te quieres disgustar, prevenido has de estar.»

EL BUEN TIEMPO Y LA LLUVIA

Dice un refrán: «Nunca llueve a gusto de todos». Había una vez tres perritos y tres ranitas que eran muy amigos, aunque a veces discutían.

Si el día era lluvioso las ranitas se ponían muy contentas. En cambio, los perritos estaban tristes porque no les gustaba el agua.

—¡Menudo chapuzón nos vamos a dar en los charcos que se están formando! —decían las ranitas muy contentas con la tormenta.

—¡Bah! ¡Nos aburre la lluvia! —respondían los perritos malhumorados.

Cuando hacía sol ocurría lo contrario; los perritos se ponían muy contentos porque podían pasear tranquilamente y las ranitas estaban muy tristes porque se aburrían sin charcos en los que jugar.

¿Cuándo estaban contentos los perritos y las ranitas? ¡Muy sencillo!: los días que eran nublados pero sin lluvia.

«Nunca sale el sol a gusto de todos.»

EL CIERVO VANIDOSO

Vivía en la montaña un ciervo que estaba muy orgulloso de su cornamenta, y sus vecinos le decían:

—Nuestras patas pueden ser tan útiles como los cuernos.

—¡Bah! ¿No te has fijado que todos tenemos las patas iguales? En cambio, la cornamenta la tenemos distinta. La mía es superior a las vuestras. Soy el ciervo más hermoso de la montaña —respondía el ciervo.

Un día, el ciervo vanidoso se vio perseguido por los perros de unos cazadores. Gracias a la agilidad de sus patas, nuestro ciervo pudo escapar.

Pero al llegar al bosque su cornamenta pronto quedó enredada en el ramaje. Quedó atrapado, pues no po-

día continuar corriendo, así que los perros lo alcanzaron. Recordó lo que le había dicho su vecino y comprendió que tenía razón. ¡Ah, si se hubiera fiado más de sus patas!

«Siempre hay que saber escuchar.»

LA RATITA PRESUMIDA

Era una ratita muy linda a la que le gustaba cuidar de su casa. Todos los días barría, limpiaba y fregaba. Era una maravilla en cualquier cosa que hiciese. Sus vecinos la admiraban y siempre había una cola de pretendientes a la puerta de su casa. Aún no había resuelto casarse, de modo que repartía calabazas a diestro y siniestro.

Un día se encontró una moneda, pero no sabía qué hacer con ella.

«Podría comprar tantas cosas... Es difícil decidirse por alguna. ¿Y si me comprase un lazo? Podría ponérmelo en el rabo. Me quedaría precioso», pensaba la ratita muy indecisa.

En efecto, se compró el lazo y su predicción se cumplió. Estaba más encantadora y más guapa que nunca. Sus pretendientes aumentaron a la puerta de su casa como la espuma.

Desfilaron ante ella perros, cerdos, patos... La ratita, algo más condescendiente, sólo ponía una condición para casarse.

—Quien tenga una hermosa y dulce voz obtendrá mi mano —les dijo ella con una sonrisa en el rostro.

Así, hacía cantar a todos los pretendientes, pero ninguna voz parecía agradarle. Por fin, un día se presentó un apuesto gato quien, con voz muy dulce y melodiosa, logró conquistar el corazón de la ratita presumida.

La boda se celebró por todo lo alto y acudieron numerosos invitados. La ratita, muy satisfecha y feliz, se sentía el centro del mundo. Estaba radiante y además al fin había logrado encontrar a un pretendiente digno de su belleza.

Una vez solos, el esposo mostró sus verdaderas intenciones. De un salto se lanzó sobre la ratita y, visto y no visto, se la zampó en un santiamén.

«No podemos ni debemos renunciar a lo que somos.»

LA ZORRA Y LA RANA LISTA

Doña Zorra presumía de ser muy rápida. Harta, doña Rana le dijo un día:

—¡Bah! Yo soy más rápida que usted y la desafió a una carrera cuando quiera.

La zorra, sonriendo con desprecio, aceptó.

Comenzó la carrera y, sin que doña Zorra lo advirtiese, doña Rana saltó sobre su lomo. Así iban avanzando. De vez en cuando, doña Zorra volvía la cabeza. Al no ver a la rana, suponía que la había dejado muy atrás.

Poco antes de llegar a la meta, doña Rana dio un tremendo salto y cayó justo delante de la línea de meta, unos metros por delante de doña Zorra, que no podía creer lo que veía.

Doña Rana le gritó desde la meta:

—¡Amiga Zorra! Hace rato que la espero.

Doña Zorra se fue con el rabo entre las piernas.

«No se puede presumir antes de que llegue el fin.»

LA ABEJA HOLGAZANA

Había una vez una abeja que no quería trabajar, pues sólo pensaba en divertirse. Se comía el jugo de las flores en vez de conservarlo para hacer miel.

Como la abeja holgazana no quería trabajar, todas las abejas se reunieron y decidieron expulsarla de la colmena. Ese día llovía y, como se le mojaron las alas con las gotas de agua, no podía volar ni apenas moverse.

Cayó en el hueco de un árbol donde había una gran culebra. Ésta se dispuso a comérsela, pero la abeja le propuso un juego de habilidad. Si ella ganaba, podría marcharse libre. La culebra aceptó y la abeja ganó el juego sin problemas. Su rival admitió la derrota y la dejó marchar.

Después de la experiencia, reflexionó y se dio cuenta de que estaba equivocada. Regresó a la colmena, dispuesta a trabajar como sus compañeras.

«Si no quieres trabajar lo pasarás mal.»

EL CERDO Y EL JABALÍ

Una tarde muy calurosa coincidieron en la fuente un cerdo y un jabalí. Los dos tenían mucha sed y cada uno quería ser el primero en beber. Comenzaron a reñir, cada vez con más violencia. Por último, se dispusieron a luchar. En esto vieron que volaban sobre ellos unos buitres. Esperaban que alguno cayese derrotado para poder acercarse y devorar su cadáver tranquilamente.

Ambos decidieron que les convenía llegar a un acuerdo. Echarían a suertes y el que ganase bebería primero. De esta forma, los buitres se quedaron sin su soñado banquete.

«Es mejor hacer amigos que pelear.»

EL ZORRO Y EL CUERVO

Don Cuervo descansaba sobre una rama sosteniendo en su pico un queso, que pensaba comer tranquilo para cenar.

Entre tanto, don Zorro estaba al pie del árbol pensando en la forma de quitarle el queso a don Cuervo, pues tenía hambre.

—¡Oh, don Cuervo! ¡Cuánto tiempo hace que no le oigo cantar! ¿Qué le pasa? ¿Es que ya no tiene su hermosa voz de antes?

Don Cuervo, guiado por su vanidad, abrió el pico para cantar.

En ese momento el queso se le escapó y cayó al suelo. Don Zorro se apoderó de tan rico manjar mientras decía:

—Esto le pasa por creer las palabras de los que le halagan.

«Creer siempre en los halagos a veces da malos resultados.»

MINI-MAUS Y MARRAMIAU

Mini-Maus era un gato muy egoísta que no ayudaba a nadie. Por el contrario, su hermana Marramiau era muy generosa y ayudaba a los demás gatitos. Su dueña los quería mucho, pero un día se murió y se quedaron solos. Marramiau fue ayudada por sus amigos. A Mini-Maus no lo quería nadie, aunque tuvo suerte después de todo, ya que su hermana compartía con él lo que le daban sus amigos y así pudo sobrevivir. Mini-Maus aprendió la lección y desde entonces fue generoso y tan querido por los demás como Marramiau.

«Si hay generosidad, hay amistad.»

EL GATO MENDIGO

Un gato vivía en una casa donde había muchos ratones, por lo que nunca le faltaba comida. Un día se dio cuenta de que ya no podía cazar ratones como antes y decidió convertirse en un gato mendigo.

Al verlo tan bonachón, todos empezaron a quererle, excepto una vieja rata muy desconfiada.

Un día, una liebre y un gorrión peleaban por subirse a un tronco podrido. El gato les dijo:

—¿Por qué peleáis? Yo arreglaré la cuestión.

Mientras hablaba se iba acercando a ellos para atraparlos al primer descuido. La vieja rata, viendo lo que se proponía, dio un chillido. La liebre y el gorrión huyeron. Ella hizo lo mismo y el gato se quedó sin comida.

«Más vale prevenir que lamentar.»

EL MAPACHE HERIDO

Sus amigos se reían en cuanto lo veían y no querían jugar con él.

Cuando sus heridas se curaron volvió a ser un animal hermoso y lleno de vitalidad.

Un mapache que estaba jugando, se estaba divirtiendo tanto que se distrajo, se cayó del árbol y se hizo una herida. Tuvieron que cortarle parte de la piel y quedó muy feo.

Sus amigos quisieron volver a jugar con él. Pero él ya se había acostumbrado a la soledad y no le apetecía estar con ellos.

«A los amigos nunca debes despreciarlos.»

LA LIEBRE QUE TOCABA EL VIOLÍN

Una liebre apasionada del violín se pasaba todo el día y parte de la noche tocando su instrumento favorito, pero el invierno se acercaba y era preciso acumular provisiones.

—Deja de tocar y ven con nosotras a por comida para el invierno —decían sus vecinos.

Pero la liebre no les hacía caso y seguía tocando el violín, ajena a su advertencia.

Llegó el invierno y nuestra liebre no tenía qué comer. Tuvo que ir de casa en casa pidiendo alimento. Como era muy querida, le dieron de comer durante el duro y frío invierno y ella a cambio les alegró dando serenatas con su violín.

«Hay que trabajar y también la vida alegrar.»

GALGOS
O PODENCOS

Dos conejos huían de los perros y charlaban mientras corrían.

—¡Uf! ¡Hay que ver cómo corren estos galgos! —dijo uno de ellos cansado de correr.

—¿Galgos? ¡No, hombre, no! ¡Son podencos! —le respondió su compañero.

—¿Podencos? ¡Tú estás ciego de remate! ¡Son galgos y bien galgos! —insistió el primero.

Mientras discutían disminuyeron la velocidad y fueron alcanzados por los perros.

En un momento de peligro, en vez de fijarse en lo importante, que era huir, se distrajeron con su discusión.

«Si haces una cosa, procura no distraerte haciendo otra.»

EL CERDITO GORDO

El lobo, el zorro, el jabalí y el oso decidieron una tarde en que estaban hambrientos comerse un cerdito gordo y sonrosado.

Un día que el cerdito iba solo al colegio, los malvados animales lo metieron en un saco y se lo llevaron a su casa.

Empezaron a discutir porque cada uno quería cocinarlo de forma distinta. El lobo con un cuchillo cortó las cuerdas del saco y los demás se le echaron encima. En ese momento, el cerdito aprovechó el despiste de sus captores para salir del saco y escapar corriendo.

«Hay que escapar cuando de uno se quieren aprovechar.»

12 de febrero

EL PINGÜINO GLOTÓN

Había en una isla un pingüino que sólo sabía comer y comer. Se pasaba el día pescando y comiéndose sus presas.

—Hijo —le decía su madre—. ¿Por qué no juegas con tus amiguitos? ¿No te divierten?

—No, prefiero no verles porque estoy muy ocupado pescando —respondió muy serio.

—Pero, hijo, los otros pingüinos juegan y pasean —dijo ella sorprendida y preocupada.

Después de muchas tardes así, sus padres lo dejaron finalmente por imposible.

Un día nuestro pingüino se encontró con unos amiguitos que hacían cabriolas y saltaban. Él también quiso jugar como ellos sin acordarse de lo gordo que estaba. No tenía agilidad para saltar ni para correr. ¡Cómo se rieron todos de él! ¡Qué mal lo pasó!

«Si no haces ejercicio no serás ágil.»

13 de febrero

EL LEÓN Y EL MOSQUITO

Un orgulloso león fue atacado por un mosquito. En vano trataba el león de defenderse. El mosquito caía una y otra vez sobre él clavándole su aguijón. El león se revolcaba y saltaba tratando de matar al mosquito, pero sus esfuerzos eran inútiles.

Lleno de picaduras e hinchado, el león se tumbó en el suelo derrotado y molesto.

El mosquito se alejó henchido de alegría y muy ufano, pero al poco tiempo cayó en la terrible red de una araña. Ésta, al ver su presa, comentó con desprecio:

—¡Bah! Creí que había capturado un animal más importante. ¡Qué decepción!, y se lo comió.

«Aunque puedas atacar, otros te pueden ganar.»

EL PERRO Y EL ZORRO

Cierto día, un zorro flaco y hambriento salió a buscar algo que comer, pues no podía seguir así. En el camino se topó con un perro gordo. Lleno de envidia, le preguntó:

—¿Cómo es que siendo yo más rápido y astuto que tú paso tanta hambre y tú, en cambio, pareces feliz?

—Tengo un amo que cuida de mí, y estoy muy a gusto cuidando de su casa y de su familia —respondió el perro con una sonrisa.

—¿Para qué sirve ese collar? —preguntó el zorro.

—A veces mi amo me ata y el collar sirve para enganchar la cuerda. Así no puedo moverme —explicó el perro.

El zorro se alejó mientras se decía: «Si para comer tengo que renunciar a mi libertad, prefiero seguir como hasta ahora. Yo busco y encuentro comida cuando quiero».

«Unos tienen responsabilidad, otros quieren libertad.»

15 de febrero

LOS TRES ZORRITOS

Zorrita, Zorrón y Zorro vivían juntos y se querían mucho, pero había un problema, Zorro era el único que trabajaba en la casa. Los amigos de Zorro le decían que no debía dejarse engañar por Zorrita y Zorrón, pues al final vivían a su costa.

—¡Pobrecillos! —se lamentaba Zorro—, si no saben ni siquiera barrer. Me dan pena y por eso me encargo yo de la limpieza de la casa y de todo lo demás.

—No te fíes de ellos —le advertía uno de sus amigos.

Poco tiempo después se enteró Zorro de que Zorrita era campeona de ajedrez y Zorrón era el zorro más fuerte. Zorro cogió una guitarra y comenzó a tocar y cantar en casa horas enteras. Desde entonces, Zorrita y Zorrón vieron que Zorro ya no les preparaba la comida. Hambrientos, lloraron y suplicaron que dejara de cantar; ellos trabajarían y podrían repartirse las faenas caseras. Zorro accedió y desde entonces los tres hicieron las tareas del hogar todos juntos.

«Se trabaja con ilusión todos juntos y en unión.»

LA TORTUGA Y EL ÁGUILA

Doña Tortuga siempre se lamentaba de lo torpe y lenta que era cuando caminaba.

—¡Qué fastidio tener que arrastrarme por el suelo! ¡Ah, si pudiera volar, siquiera un instante! —decía siempre la tortuga.

Un día logró convencer a doña Águila para que la llevase a dar un paseo por el aire. La tortuga no cabía en sí de gozo al divisar allá abajo, tan lejos, la Tierra y sus habitantes.

—¡La envidia que tendrán las demás tortugas! —decía emocionada y satisfecha.

Tanto se cansó doña Águila de oírla que la soltó y la orgullosa tortuga cayó como una piedra desde cientos de metros y se hizo pedazos.

Unas tortugas que lo vieron decían:

—¡Pobrecita! ¡Con lo segura que estaba aquí, en la Tierra, y tuvo que subir tan alto!

«Dura lección para quien se empeña en ir contra su propia naturaleza.»

LA OVEJITA NEGRA

Una vez había una ovejita que era diferente a las demás. Era negra. Por eso la despreciaban y la dejaban la última.

Cansada de que todos la trataran tan mal, la ovejita negra se apartó del rebaño.

Anduvo sola y, al llegar la noche, se acostó sin querer sobre un montón de harina. Al día siguiente se había convertido en una oveja de color blanco.

Volvió al rebaño y sus compañeras la nombraron la reina del rebaño por su blancura.

Un día llegó el príncipe de los corderos, que venía en busca de esposa para él.

Mientras el príncipe miraba a las ovejas se desencadenó una gran tormenta. La lluvia quitó la capa de harina que cubría a la ovejita y ésta recobró su color negro.

El príncipe, encantado, la eligió como esposa y dijo:

—Es distinta a las demás. Por eso me gusta.

«Nunca debes despreciar por el color de la piel a los demás.»

LOS LOBOS Y LOS CORDEROS

Los corderos del rebaño tenían grandes discusiones, pero, ante el común enemigo, el lobo, siempre se terminaban uniendo.

Para protegerse de su feroz amenaza habían contratado a unos perros cazadores. De este modo, por más que los lobos intentaban meterse en el corral, no lo conseguían.

Los lobos, con mucha astucia, enviaron un mensajero a los corderos diciendo que los perros tenían la culpa de sus problemas y que debían librarse de ellos. Los ingenuos corderos se creyeron lo que les dijeron y despidieron a los perros.

Así, los inteligentes lobos pudieron darse un banquete con los corderos.

«Es mejor desconfiar de los listos que te quieren mal.»

LA LIEBRE Y EL CARNERO

Doña Liebre era muy aficionada a las carreras y a las zanahorias, así que decidió participar en un maratón.

La noche anterior a la carrera, doña Liebre se metió en el huerto de don Carnero dispuesta a comerse todas las zanahorias que encontrase, pues sabía que sin un buen atracón de zanahorias no podría ganar. Pero el dueño del huerto vigilaba.

Después de ver a doña Liebre comiéndose sus zanahorias, don Carnero echó a correr tras ella dispuesto a darle su merecido. Ambos llegaron a la línea de salida en el momento en que comenzaba el maratón. Doña Liebre ganó la carrera con facilidad.

«No se debe aprovechar la amistad para poder ganar.»

EL COCODRILO MENTIROSO

Un cocodrilo vivía a la orilla de un gran río en la selva. Confundido con el fango acechaba inmóvil a los animales que se acercaban a beber. Así atrapaba a muchos de ellos, pero acabó siendo muy conocido.

Para poder seguir cazando tuvo que inventarse un nuevo método. Éste consistía en llevarse un pañuelo a la boca y lloriquear. Los animales de la selva, creyendo que le pasaba algo malo, se acercarían y ¡zas! podría comerse a los más pequeños.

Un día bajó al río una bandada de patitos. Algunos de ellos oyeron el llanto del cocodrilo, se fueron acercando uno a uno y el cocodrilo se los comió. Sólo se libró el patito más pequeño, que se marchó diciéndole que iba a avisar al médico. Éste pilló distraído al cocodrilo y le puso una estaca entre las fauces. De este modo quedó su boca abierta y todos los demás patitos pudieron salir sanos y salvos.

«Si engañas al que te ayuda otros te engañarán a ti.»

EL PAVO REAL Y LA GRULLA

El pavo real estaba muy orgulloso de su plumaje. Un día invitó a comer a una grulla, vecina suya muy simpática y aguda.

—¿Quién puede igualarme en belleza y presencia? —decía el pavo real—. Basta con que abra mi maravillosa cola para que todo el mundo me admire. Es realmente la más hermosa de todas.

—Sí, pero yo puedo volar y ver desde el cielo las maravillas de la Tierra —replicó la grulla.

—Es verdad, cada uno tiene cosas buenas. Lo que ocurre es que nunca nos conformamos con lo que tenemos, ¿no es cierto, vecina?

—Desde luego. Mejor haríamos en alabarnos mutuamente.

Nunca más volvieron a rivalizar por tonterías el pavo real y la grulla.

«Todos tenemos algo que nos enorgullece.»

LOS CERDOS DÉBILES

En una pocilga vivían unos cuantos cerdos; unos eran gordos y lustrosos, otros muy flacos y huesudos. Los primeros se reían de sus compañeros por su gran delgadez.

—¡Pobrecillos! Da pena veros; no tenéis más que huesos —dijo el más gordo de todos.

Los cerdos débiles estaban muy tristes y se sentían muy avergonzados. Un día, el granjero fue a la pocilga para llevarse unos cerdos para venderlos en la feria. ¿Qué cerdos creéis que cogió? Por supuesto, los más gordos. ¡Con qué envidia miraban los cerdos más gordos a sus raquíticos compañeros!

«Nadie se debe avergonzar, nunca se sabe lo que va a pasar.»

EL CABALLO DESCONTENTO

Un caballo en pleno invierno descansaba tranquilamente comiendo paja seca, mientras miraba nevar por la puerta. Se sentía melancólico viendo caer la nieve en el campo.

—¡Quiero que llegue la primavera para poder comer hierba fresca! —decía el pobre caballo.

Llegó la primavera y le dieron hierba fresca, pero tuvo que comenzar a trabajar en las faenas del campo.

—¡Cuándo llegará el verano! Estoy harto de tirar del arado —se lamentaba entre sudores y relinchos.

Llegó el verano, pero el trabajo aumentó y hacía mucho calor. Apenas podía descansar a la sombra.

—¡Oh, cuándo llegará el otoño! —decía el caballo, creyendo que cuando llegase el otoño terminarían sus males. Pero en otoño hubo de cargar leña para el invierno.

Llegó el invierno y pudo descansar. Comprendió que había sido un iluso creyendo en un futuro mejor.

«Disfruta del presente y no te ilusiones con el futuro.»

24 y 25 de febrero

EL OSO PESCADOR

Cerca de un gorrión, un oso pescaba en el río.

—No creerás que vas a pescar más peces que yo, infeliz gorrión —decía el oso.

El gorrión no decía nada y seguía pescando, como si aquel oso no estuviese a su lado desanimándole.

El oso intentó asustarle y, de tanto gesticular, quedó enredado en el hilo de su propia caña. Tuvo que pedir ayuda al gorrión, que le libró del hilo.

El gorrión, después, pescó un pez enorme que fue la envidia del oso.

«El orgullo puede cegarnos y hacernos cometer errores absurdos.»

26 de febrero

EL ERIZO GENEROSO

Don Erizo se llevaba bien con todos los animales y no le importaba regalar sus púas a quien se las pidiese. La última que le quedaba se la dio al ratón, que la quería para usarla como espada contra un gato que le perseguía y así podría defenderse.

Un día llegó una serpiente que, al ver al erizo sin espinas se dispuso a comérselo.

Cuando la serpiente estaba cerca, todos los animales que tenían alguna espina del erizo se abalanzaron sobre ella y la hicieron huir. El erizo agradeció a sus amigos su valiente y generoso gesto.

Había dado el arma que le servía como única defensa porque en realidad daba más importancia a la amistad que a la propia vida.

«La amistad es un gran tesoro.»

FIESTA

Es día festivo y don Grillo decide ir a la feria. Allí hay un gran bullicio y animación. Monta en los caballitos y la noria y acaba mareado. Luego encuentra a doña Oruga, que le cuenta chismes de las vecinas.

Cuando don Grillo llega a casa está cansado pero, como le gusta mucho presumir, le cuenta a su mujer una versión distinta:

—¡Cuánto me he divertido en la feria!

—¡Ah, muy bien! Pues mañana te llevas a los niños, que quieren ir.

Así pues, don Grillo se ve obligado a volver a la feria a marearse otra vez.

«Si mientes atente a las consecuencias.»

EL BUEY Y EL CABALLO

Un buey y un caballo llevaban carga de un pueblo a otro. El buey estaba enfermo, por lo que llevaba menos peso que el caballo. Cuando se curó no dijo nada y permitió que su amigo siguiera cargando más que él.

—¡Uf! —exclamó el caballo—. No podré llegar con tanto peso. Diré al buey que me ayude, solo será imposible.

Así lo hizo, pidió ayuda al buey; sin embargo éste le respondió quejoso:

—Con gusto te ayudaría, pero hoy me encuentro peor que nunca.

—Basta con que me cojas un saco, amigo —le suplicó el caballo.

—No, lo siento —contestó el buey.

Reanudaron el camino y, en plena cuesta, el caballo se desplomó en el suelo, agotado, y se murió. Entonces, el buey tuvo que llevar todos los sacos de trigo además de arrastrar al caballo hasta la cuadra.

«Siempre hay que trabajar.»

LA TORTUGA Y EL MONO

Tortuga y Chimpancito son muy buenos amigos. Pasan juntos la mayor parte del día en la playa, pues el mar es el hogar natural de la primera y al segundo le apasiona el oleaje. Tienen largas conversaciones. Tortuga vive sola con su madre y cuando entra en casa la encuentra en la cama, con aspecto de estar gravemente enferma. Una vecina atiende a la enferma y dice a la pequeña.

—Tu madre está muy mal. Solo puede salvarse con un extracto de corazón de mono. Debes traérmelo cuanto antes para que lo prepare debidamente.

El problema es muy serio. ¿Extracto de corazón de mono? Eso no lo venden en parte alguna. ¿Cómo obtenerlo? De repente, Tortuga se acuerda de su amigo Chimpancito. Su corazón podrá servir...

Tortuga lucha consigo misma durante mucho tiempo pero, al fin, se decide. Cita a su amigo a horas intempestivas de la noche, en la playa que suelen frecuentar y allí acecha su llegada, armada con un gran cuchillo. Cuando tiene a Chimpancito lo bastante cerca, se abalanza sobre él e intenta matarle. Éste, muy hábil y rápido, esquiva la cuchillada y reduce finalmente a su amiga.

—¿Cómo has podido hacerme esto, Tortuga? —dice él, estupefacto—. Te creía amiga... y has querido matarme...

—Necesito tu corazón para salvar a mi madre, Chimpancito. Está muy enferma y es la única solución —contesta ella desesperada.

Por supuesto, Chimpancito no se presta a donar su corazón y Tortuga no puede evitar perder al mismo tiempo a su madre y a su amigo.

«No hagas a los demás lo que no quieras que te hagan a ti.»

El gusanito

Un gusanito vivía dentro de la pera más hermosa que había en el peral.

—Mirad —decía a sus amigos—, vosotros no vivís en una pera tan bonita como ésta.

Gusanito vivía en el centro de la pera. Tenía la comida al alcance de la boca. No necesitaba trabajar ni preocuparse por comer.

Un día, doña Cerda compró unas peras. Ella misma escogió la fruta, y se llevó la pera en la que vivía Gusanito. Cuando Cerdito y Cerdita se disponían a comerse la pera, se dieron cuenta de que había un gusano.

—Vamos a matarlo —dijo Cerdito feroz.

—Nada malo nos ha hecho —dijo Cerdita muy reflexiva—, tiene derecho a vivir.

Gracias a Cerdita y a su buen corazón, Gusanito puede contarnos su historia y vive feliz en el campo.

«Aunque puedas no trabajar para vivir, has de cuidarte de los peligros.»

El lobo y el cabrito

Había una vez un cabrito muy revoltoso. Un día abandonó el rebaño pues deseaba viajar y además le molestaban mucho los continuos ladridos de los perros del pastor.

—¡Ah, por fin libre! No pienso volver nunca más al rebaño —se dijo satisfecho.

No había dado más que unos pocos pasos cuando le salió al encuentro un lobo enorme con las fauces abiertas y los ojos muy brillantes. Se lo quería comer.

—¿Me concedes un último deseo, noble lobo? —preguntó el cabrito.

—Naturalmente —contestó el lobo— tengo hambre, pero no soy un malvado. Dime en qué deseo piensas.

En ese momento, el cabrito supo que estaba salvado, pues comenzó a tocar una flauta que llevaba consigo. La música llegó a oídos de los perros que guardaban el rebaño y acudieron a toda prisa y el lobo tuvo que huir. De esta forma el cabrito pudo salvar su vida.

«Ser astuto ante el peligro es una buena cualidad.»

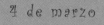

EL LOBITO GUARDIÁN

Conejos y ardillas se reunieron para ver qué podían hacer y decidieron quitar la escopeta al guardabosques Lobito.

Un día, mientras Lobito dormía la siesta bajo un árbol, se apoderaron del arma. Desde ese momento, todos los animales volvieron a comerse los frutos del bosque. Lobito reflexionó y comprendió que los frutos no estaban de adorno, crecían para que pudieran comer los habitantes del bosque.

A partir de entonces, Lobito fue un guardián tolerante y comprensivo que sólo intervenía cuando surgía alguna disputa.

«Con poca inteligencia no se está capacitado para mandar.»

Lobito era el guarda del bosque y hacía su trabajo lo mejor posible. Creía que el bosque estaba para ser contemplado y disparaba contra cualquier animal que pretendiera comerse los frutos de los árboles.

LAS DOS MARIQUITAS

Había dos hermosas mariquitas que eran amigas. Una tenía tres puntos negros en sus alas y la otra tenía siete. Se pasaban el tiempo discutiendo sobre quién era la más hermosa, olvidándose de otras cosas importantes, como vigilar si había algún peligro.

—Yo tengo las alas más bonitas, mis puntos son más negros y redondos —decía una de ellas muy orgullosa de su belleza.

Las dos mariquitas estaban tan distraídas discutiendo quién de las dos era más hermosa que no se dieron cuenta de lo que pasaba a su alrededor. Un enorme abejorro se acercó dispuesto a zamparse a las dos. Al verlo, las dos mariquitas se precipitaron tras unos matorrales y así lograron salvarse de tan feroz enemigo. Sin embargo, sus alas resultaron desgarradas y desde entonces ya no pudieron discutir más sobre cuál de las dos era la más hermosa.

«La belleza física no es duradera, no hay que darle excesivo valor.»

LA LECHUZA Y LAS PALOMAS

Lechucilla no estaba contenta y soñaba con una vida más cómoda y feliz. Cierto día vio que en un palomar cercano las palomas blancas vivían muy bien, comían lo que querían y no necesitaban trabajar.

Lechucilla, muy decidida, no se lo pensó más, se pintó de blanco y se fue al palomar.

Al principio, las palomas, que eran despistadas, no se dieron cuenta. Pasó el tiempo y Lechucilla se fue confiando. Un día gritó como lo hacen las lechuzas y las palomas se dieron cuenta del engaño, descubriendo la verdad, y expulsaron a Lechucilla del palomar.

Triste y resignada, Lechucilla regresó a su verdadero refugio, pero sus anteriores compañeras, al verla pintada de blanco, no la reconocieron y la echaron a picotazos.

«Agradece lo que tienes y no envidies a los demás.»

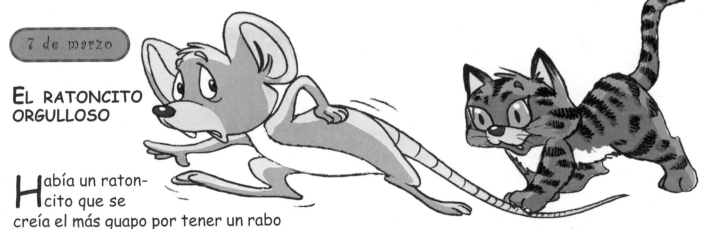

EL RATONCITO ORGULLOSO

Había un ratoncito que se creía el más guapo por tener un rabo muy largo. Sus amigos le decían:

—Ratoncito, no es bueno tener un rabo tan largo. Los gatos te pueden coger con mucha facilidad. Además debe de ser muy molesto tener un rabo tan pesado.

Ratoncito, orgulloso de tener un rabo lustroso y grande, no hacía caso a nadie. Un día llegaron al pueblo unos gatos hambrientos.

Todos huyeron; Ratoncito quiso huir, pero ¡ay! su rabo quedó enganchado. Un gato atrapó el rabo y, tirando de él, pronto tuvo a Ratoncito a su alcance. Por mucho que Ratoncito intentó librarse no había manera, pues el gato era más fuerte que él y le tenía bien sujeto por el rabo.

—¡Así que tú eres el ratón que andaba presumiendo de rabo! ¡Infeliz, vas a recibir tu merecido por imprudente! —le dijo el gato, y en un santiamén se lo comió.

«Mejor ser humilde que orgulloso.»

LA PLUMA DE GANSO

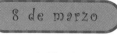

Su hija Leoncita fue a ver a una curandera y le contó el problema. Ésta le dio una pluma de ganso y le dijo:

—Quien sepa utilizarla liberará a tu padre del hechizo.

Muchos probaron suerte, pero ninguno supo dar el uso correcto a la pluma de ganso hasta que llegó Ardillita y cogiendo la pluma hizo cosquillas con ella al León. Éste prorrumpió en sonoras carcajadas y recobró la cara alegre que tenía antes de haber sido hechizado. Así don León pudo al fin volver a la vida con su familia.

«Sin romper el hechizo no hay realidad.»

Don León tenía un encantamiento que le hacía estar triste, se negaba a comer y se pasaba el día durmiendo.

LOS DOS BURROS

Dos burros caminaban por un camino polvoriento. Uno caminaba con gran dificultad porque iba cargado con sal; el otro, más ligero porque llevaba una carga de esponjas.

El burro que iba cargado con sal dijo al que llevaba las alforjas llenas de esponjas:

—Deberíamos intercambiar las cargas, yo ya he llevado durante mucho tiempo estas alforjas tan pesadas.

Pero el otro se opuso, quería llevar las esponjas. Al poco rato empezó a llover. El agua disolvió la sal y, en cambio, hizo que aumentara el peso de las esponjas al quedar empapadas de agua.

—Ahora podemos intercambiar las cargas —dijo el que iba cargado de esponjas. Pero esta vez su compañero no quiso.

«Nunca está de más prestar atención a los que sufren.»

EL JUEGO DEL ESCONDITE

—Juguemos al escondite —dice la mariposa al moscardón, con ganas de divertirse.

—¿Al escondite? ¡Ja, ja, ja! —se ríe el moscardón—. ¡Con las alas tan grandes que tienes te encontraré en seguida!

Comienzan a jugar, primero le toca esconderse al moscardón y lo hace detrás de un matorral. Es tan fuerte su zumbido que la mariposa lo encuentra fácilmente. Ahora le toca esconderse a la mariposa.

Ésta se oculta entre los coloridos pétalos de una hermosa flor que es amarilla como ella. El moscardón la busca durante mucho rato. Al fin, se da por vencido y grita:

—¡Me rindo! ¡Puedes salir de tu escondite!

El moscardón comprendió que las apariencias engañan y que los colores sirven para ocultarse tanto como para ser delatado.

«No te fíes de las apariencias, a veces engañan.»

LA LECHUZA

Aquella noche de verano doña Lechuza tenía sus ojos muy abiertos, como siempre. Oyó ruidos extraños en casa de don Caballo. Se acercó y vio que Osito salía del cuarto de Caballito cargado de juguetes.

—¡Ah, ladrón! ¿Robando a un amigo? ¡Se lo diré a tu padre! —exclama enfadada.

—¡No, por favor, doña Lechuza, yo le explicaré! —repuso Osito arrepentido.

—Te escucho —dijo doña Lechuza, impaciente y con ganas de oír sus palabras.

—Caballito presume de tener muchos juguetes porque su padre es rico y se ríe de nosotros, que no tenemos ninguno. Ésa es la razón por la que me los llevo.

—Caballito es un egoísta —dijo doña Lechuza—. No seas como él, deja que presuma, la vida se encargará de darle su merecido. Coloca los juguetes en su sitio.

Osito obedeció a doña Lechuza y regresó a su casa muy contento.

«El tener muchas cosas no da la felicidad.»

41

LA CABRA Y LA MULA

La mula, ingenua y bondadosa, se dejó convencer. Fingió estar enferma y su amo la llevó a otro sitio mejor para que se recuperara pronto de su enfermedad.

Había un lobo hambriento que no había entrado en el establo porque siempre había visto juntas a la cabra y a la mula. Esta vez, al ver sola a la cabra, no lo dudó un instante y entró en el establo.

En un establo vivían una cabra y una mula. La primera tenía envidia de la mula porque estaba mejor atendida. Por esa razón quiso librarse de ella y le dijo:

—Amiga mula. Te pasas todo el día trabajando y ¿qué ganas con ello? Apenas un poco de pienso. Yo, en tu lugar, me fingiría enferma para no trabajar una buena temporada. Hazme caso, es un buen consejo.

Se encontró a la cabra sola y, sin que ésta pudiera defenderse ni pedir ayuda, se la comió. De este modo la cabra pagó muy cara su envidia y mala fe con la mula.

«La envidia es mala consejera.»

EL ELEFANTE BLANCO

En la manada de elefantes nació un elefante blanco. Los demás lo consideraron una desgracia porque era diferente a los demás. Aunque era muy inteligente, lo despreciaban por su color.

cayó en una trampa tendida por unos cazadores. El elefantito blanco lo salvó y el jefe, agradecido, le nombró su primer lugarteniente.

Todos comprendieron que hay cosas más importantes que el color de la piel.

«No juzgues a nadie por el color de su piel.»

Un día, el jefe de la manada

14 de marzo

LA NUTRIA

En un río iba a celebrarse un concurso de habilidad. Aunque participaban muchas nutrias, nadie dudaba de que Nutrina sería la ganadora. Ésta siempre recibía alabanzas y era muy vanidosa.

El día del concurso Nutrina estaba acatarrada y su madre no la dejó salir de casa. Su salud era más importante que el concurso. El disgusto de Nutrina fue enorme. ¡No podría ganar esta vez! Por la noche, después de celebrado el concurso, llamaron a su puerta. Era la ganadora del concurso que venía con la copa que había ganado.

—La copa te pertenece, tú la habrías ganado de haber podido participar.

Nutrina comprendió que, aunque ella era la más hábil, su amiga era mejor jugadora. Emocionada, se negó a aceptar la copa.

«Siempre debes aceptar una buena y sincera amistad.»

15 de marzo

EL REY MONO Y LA ZORRA

Había un mono muy gracioso que divertía a todos los animales. Era tan famoso que los demás lo nombraron rey de aquel territorio para que lo gobernara con humor.

Una zorra, llevada por su envidia, quiso demostrar que el mono no servía para tal cargo.

—Os engaña con su simpatía, pero nada tiene que ver con las cualidades que ha de tener un rey —intentó convencerles.

Llevó al rey mono hasta un cepo donde había puesto un trozo de carne. El mono, al verlo, se abalanzó apresurado y confiado sobre la carne y quedó atrapado.

Esto sirvió para demostrar la incompetencia del rey mono para gobernar, que valía para alegrar a la muchedumbre pero carecía de dotes para dirigir a los demás.

«Muchas cualidades hay que tener para saber gobernar.»

43

16 de marzo

EL PULPO GOLOSO

Pulpín es un cetáceo muy goloso. Cada día pide a su mamá unas monedas para comprarse un helado en casa de la langosta anciana, miope y despistada, que no se entera de lo que pasa a su alrededor.

Mientras ella busca el helado que le ha pedido Pulpín, éste se apodera con sus ocho tentáculos de todas las golosinas que hay en el mostrador, riéndose para sus adentros.

La langosta no se explica lo poco que le dura la mercancía del mostrador con lo que gana. Un día, Pulpín padece una indigestión. La madre Pulpo se extraña de que sólo un helado haya sido la causa de una indigestión tan grande y acude a la tienda de la langosta, donde hablando, hablando, las dos descubren lo sucedido.

La solución es sencilla. Cuando Pulpín se reponga del empacho trabajará como ayudante en la tienda hasta que haya reparado todos sus robos.

«Si golosinas quieres tomar, recuerda que las tendrás que pagar.»

17 de marzo

LA URRACA LADRONA

Doña Urraca tiene la fea costumbre de robar. Todos conocen su vicio y, al ver cómo doña Urraca se dispone a robar a don Perro Dogo un maletín lleno de joyas, deciden darle un escarmiento.

Con un fino cordel atan el maletín a la pata de su propietario que duerme tranquila y plácidamente. Cuando doña Urraca tira con suavidad del maletín, despierta a don Perro Dogo que, furioso, da a la ladrona una monumental paliza.

Podéis estar seguros de que doña Urraca nunca volverá a gastar una pequeña broma a nadie más, pues ha aprendido de verdad la dura lección.

«Robar no es una broma y lo paga la ladrona.»

EL CANGREJO ROJO

Don Cangrejo vivía en las rocas junto al mar. Cuando la marea estaba baja se enterraba en la arena y cuando estaba alta se escondía en las rocas.

Un día le sorprendió la marea baja al descubierto y fue a esconderse rápidamente a una roca donde había una estrella de mar.

—¡Fuera de aquí! ¿Por qué huyes? Eres pequeño y feo. Además, fíjate, tienes un color verde muy raro... —le grita la estrella.

—Antes era de color rojo. Un pez rojo me comió y poco a poco fui cogiendo su color. Un día el pez cogió un resfriado y en uno de sus estornudos me expulsó por su boca —explicó el cangrejo triste por cómo le hablaba.

—¿Y cómo es que no tienes ese color rojo que dices? —preguntó la estrella llena de curiosidad.

—Pues... porque estoy un poco acatarrado... —repuso el cangrejo muy nervioso.

—Eso es un cuento chino. ¡Vete de aquí, cangrejo mentiroso! —exclamó ella enfurecida, pues no le gustaba que la mintieran.

El cangrejo se alejó. Durante la charla, había ganado tiempo, la marea había subido y ya podía ir a cualquier roca sin peligro.

«El ingenio siempre puede ser útil.»

LAS DOS RANAS

Era un verano muy seco y dos ranas amigas iban de un lado a otro en busca de agua. Si no aparecía pronto un charco morirían sin remedio.

Por suerte, encontraron un pozo muy profundo donde poder buscar agua.

—Zambullámonos —dijo una de ellas.

—Espera —dijo su compañera—. Este pozo no tardará en secarse y entonces ¿cómo saldremos de él?

Su amiga hizo caso, pues pensó que podrían morir, y finalmente no se metieron en el pozo. Por fortuna, poco después llovió y se formaron muchos charcos.

«Antes de hacer algo, hay que pensar los pros y los contras.»

La reunión

20 de marzo

La familia Ratón está muy atareada. El hermano mayor y el más pequeño han de ir a una importante recepción vestidos de etiqueta. Acaban de llegar de una excursión y casi no tienen tiempo para cambiarse de ropa.

El hermano mayor, que se cree muy listo y piensa que nunca se equivoca, dice:

—Eres muy lento, cuando yo llegue a la reunión, aún estarás vistiéndote.

El pequeño no responde y comienza a vestirse tranquilamente. El mayor, en cambio, está muy nervioso e intenta ponerse la camisa, la corbata, los calcetines y los zapatos al mismo tiempo. Naturalmente, acaba vestido de cualquier forma y despeinado. En cambio, Ratoncito se presenta a la reunión vestido impecablemente.

«Las prisas nunca son buenas.»

21 de marzo

La familia Lirón

La familia Lirón vivía al pie de una encina muy grande que les daba cobijo además de bellotas para comer. Sin embargo, para cogerlas era necesario trepar hasta las ramas, lo que era muy arriesgado.

No todos podían trepar, de modo que uno dijo:

—Creo que debemos derribar la encina. Así podremos coger fácilmente las bellotas.

El lirón más anciano dijo con voz pausada:

—Bien, si cortáis la encina tendremos bellotas este año, pero ¿qué ocurrirá el año que viene? Moriremos de hambre. No creo que debamos cortarla.

Por fortuna siguieron su consejo y prefirieron coger trabajosamente las bellotas cada año.

«Más vale prevenir que lamentar.»

EL MIRLO BLANCO

Muchos mirlos habían intentado casarse con Mirlita, pero ella decía que solamente se casaría con un mirlo blanco. Como es bien sabido, todos los mirlos son negros.

Uno de sus pretendientes, muy enamorado de ella, intentó cambiar el color de su plumaje enganchándose plumas blancas en el cuerpo. Mirlita, al besarlo, fue haciéndolas caer.

Probó después a untarse con cera. Parecía blanco, pero con el calor la cera se derritió y de nuevo se vio el engaño. Se echó nieve encima y pasó lo mismo.

Cansado, el mirlo se alejó triste, decidido a renunciar a Mirlita, pero ésta, conmovida por el ánimo de su pretendiente, corrió tras él y le ofreció su mano. Después de todo, pensó que se lo había merecido.

«Ser constante es importante.»

LA ZORRA Y LA CIGÜEÑA

Una zorra se hizo amiga de una cigüeña y decidió invitarla una tarde a comer a su casa. Era muy bromista y quiso tomar el pelo a la pobre cigüeña.

Preparó una exquisita sopa y la sirvió en dos platos llanos. La cigüeña, con su largo pico, no pudo sorber la sopa. Tras una hora de esfuerzos, desistió y se tuvo que ir sin comer. Antes de marcharse invitó a la zorra a comer en su casa y ésta, por supuesto, aceptó.

La cigüeña sirvió un exquisito guiso en dos jarros de cuello largo y estrecho. Mientras ella introducía su pico sin dificultad hasta donde estaba la comida, la zorra trataba en vano de meter su hocico en el jarro. Claro está que se quedó sin probar bocado y volvió a su casa hambrienta.

«Donde las dan, las toman.»

LA ABEJITA EXIGENTE

—Por fin he encontrado la flor que buscaba, amigas —dijo sonriendo y señalando al sol poniente.

Sus compañeras se rieron de ella y la abejita se fue llorando a esconderse. Una lagartija muy curiosa le preguntó qué le pasaba. Una vez oído el relato de la abejita, le dijo:

—¿Ves aquellas colinas? Tras ellas hay un valle de flores cuyo néctar te servirá para hacer la mejor miel.

La abejita voló toda la noche y por la mañana vio millones de flores con cuyo néctar pudo hacer la miel más deliciosa.

«Confía en tus amigos, ellos te ayudarán.»

Abejita estaba triste porque no se contentaba con una flor cualquiera para hacer miel y regresaba a la colmena sin haber cogido nada de néctar. Sus compañeras se burlaban de ella. Una tarde volvió alegre.

LA FOCA Y LOS LIBROS

Foquita se pasaba el día leyendo libros. Leía cuatro cada día.

Un día fue con sus padres a casa de unos amigos que tenían un hijo muy aplicado. Sabía de todo, pero tardaba mucho en leer un libro.

Los padres de Foquita creyeron que su hija sabía mucho más que el hijo de sus amigos y decidieron hacer una prueba. Invitaron a Foquita y al hijo a hablar de los libros que habían leído ese mismo día. Foquita recordaba el título... y nada más. Había leído tan deprisa que no se había enterado de nada. En cambio, el amigo habló durante horas sobre el divertido y entretenido libro que estaba leyendo. Estaba claro que lo había leído muy bien y que se había enterado de todo.

«Es preferible hacer poco y bien que mucho y mal.»

EL TEJÓN TRASNOCHADOR

Tejoncito duerme durante el día y sale por la noche porque encuentra todo mucho más divertido en la oscuridad. Puede reconocer a cualquier animal por el brillo de sus ojos. Descubre las trampas de los cazadores y no hay fiera que pueda atraparle porque en un instante excava una cueva y se mete en ella, estando así a salvo del peligro.

Sin embargo, aquella noche Tejoncito vio un par de enormes ojos que se echaban sobre él. Despedían una luz potentísima y le cegaban. En el último momento pudo reaccionar y evitar el atropello. Al cabo de un rato recordó que eran los faros de un coche.

Tejoncito se llevó tal susto que nunca más ha vuelto a salir de noche.

«No es bueno trasnochar siempre.»

LA LUCIÉRNAGA

Una mariquita y una mariposa se burlaban de una pobre luciérnaga.

—¿De dónde has sacado ese vestido tan horrendo? —le preguntaban con mucha guasa, burlándose de ella.

Un día, la luciérnaga, cansada de que se rieran a su costa, les dijo:

—Venid a verme esta noche. Tengo una sorpresa...

La mariquita y la mariposa acudieron a la cita muy ilusionadas y curiosas. De improviso, una estrella muy brillante se dejó caer del cielo y se posó en el suelo entre ellas que, boquiabiertas, comprobaron que se trataba de la luciérnaga de la que tanto se habían burlado. Muy avergonzadas, le pidieron disculpas.

«No te burles de tus compañeros.»

LA LIEBRE Y EL GATO

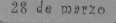

Caminaba la liebre por una vereda del bosque cuando se encontró al gato, humilde y tranquilo como pocos en el lugar.

Hablaron sobre la habilidad que cada uno tenía para librarse de los peligros. El gato, con su parsimonia habitual, dijo:

—Lo único que sé hacer cuando veo un enemigo es subirme a un árbol.

En cambio, la liebre hablaba y hablaba de las múltiples artimañas que sabía para salvarse si un enemigo la acechaba. En esto, se oyeron unos ladridos.

Se acercaba una manada de perros salvajes. Sin dudarlo un instante, el gato se subió a lo más alto de un árbol. La liebre, como tenía tantos recursos, dudaba entre cuál escoger. Mientras se decidía por uno u otro dio tiempo a que los perros la atrapasen.

«A veces un exceso de recursos suele ser un inconveniente.»

CONEJITA, LA CASTAÑERA

Conejita cuidaba el castañar y recogía las castañas. Muchos pajarillos la ayudaban alcanzando las que caían lejos de donde ella estaba. Una vez en un saco, las llevaba a la plaza donde las vendía asadas. Eran las mejores castañas y su clientela aumentaba sin cesar.

Un día hubo un gran vendaval que arrancó todas las castañas y las esparció por el campo.

Conejita se creyó perdida. ¿Qué iba a hacer ahora? No podría vender castañas en el puesto de la plaza.

Sus amigos los pajarillos acudieron en su ayuda y trajeron una a una todas las castañas desperdigadas. Aunque vendió menos ese año, la buena Conejita pudo conservar a toda su clientela y evitar la catástrofe. No hay amigos pequeños, ¿verdad?

«La amistad es un tesoro.»

EL CUMPLEAÑOS DE LA HORMIGA

Se acerca el cumpleaños de la hormiga, que es muy querida por sus vecinas, sobre todo por la araña que piensa qué regalo le hará. Como la hormiga es muy trabajadora, tiene de todo, así que no es sencillo.

«¡Qué difícil es escoger un regalo para ella!», piensa la araña, y decide no preocuparse ni pensar más en ello, seguro que se le acaba ocurriendo algo.

El día antes del cumpleaños de la hormiga, la araña la ve pasar delante de su casa arrastrando una pesada manzana.

—¡Ya sé! Puedo comprarle una bolsa en la que quepan esas manzanas y otras más grandes —piensa la araña.

El regalo fue realmente oportuno, pues era lo que su amiga necesitaba de verdad. Tanto le gustó a la hormiga que ésta, conmovida, le dice agradecida:

—Amiga araña, no hay nada como la amistad. Gracias por tu bonito regalo.

«Pensar para saber regalar.»

EL VENDEDOR DE ALFOMBRAS

El señor Cerdito iba de puerta en puerta vendiendo alfombras por las casas.

Un día llamó a la puerta del señor Pato Patón, dispuesto a venderle una alfombra y le dijo:

—Buenos días, vengo a ofrecerle una alfombra de gran calidad. ¡Venga, señor, vea! Es digna de alguien como usted. ¡Qué categoría!

—Verá... yo... —respondió vacilante don Pato Patón, que en realidad no quería comprar nada.

—Ya veo que le gusta. ¡Es suya! —dijo el señor Cerdito con mucho entusiasmo.

Don Pato Patón quería responderle, pero el señor Cerdito no le dejó. En un momento había comprado una alfombra que no deseaba.

«No hay que acostumbrarse a comprar cosas que no necesitamos.»

1 de abril

EL SALTAMONTES MENSAJERO

El saltamontes se sentía muy desgraciado a causa de su peculiar forma de andar. Lo hacía a grandes saltos y, debido a ello, no podía pasear con sus amigos por el bosque con la debida normalidad, charlando tranquilamente. Fácil es de comprender su tristeza y pesar, puesto que el inconveniente no tenía remedio: había nacido así.

Nuestro saltamontes se pasaba días enteros sin querer ver a nadie, tal era la congoja que sentía. Apenas comía y evitaba salir al bosque. Sentía un complejo enorme por sus andares, cosa absurda, ya que la Naturaleza no hace las cosas a tontas y a locas, pero ¡cualquiera le convencía de eso!

Los hechos, sin embargo, vinieron a resolver la situación. El rey de su comunidad declaró la guerra a los habitantes del territorio vecino y él fue encargado por su soberano de observar los movimientos del enemigo, para después informarle personalmente sobre los mismos. Entonces se pusieron de manifiesto las grandes dotes de nuestro saltamontes. Con sus prodigiosos saltos era capaz de franquear cualquier obstáculo y de encaramarse al lugar más propicio para observar el panorama que se extendía mas allá. No tardó en convertirse en el vigía favorito de su reino y, gracias a sus inestimables servicios, la victoria sonrió a sus amigos.

Desde entonces, el saltamontes dejó de preocuparse por su «defecto», ya que no era tal. Simplemente, andaba de forma distinta a la de sus amigos.

«No hay mal que por bien no venga.»

LA CONEJITA DE LAS OREJAS GRANDES

Había una conejita que tenía unas orejas muy grandes y presumía mucho.

—La vida no depende de nuestras orejas sino de nuestras patas —decían sus vecinas.

Nada de esto convencía a la conejita, que se pasaba el día ensayando nuevos peinados que fuesen bien con sus espléndidas orejas.

Un día, se acercó un lobo hambriento. Tan pronto lo vieron, los conejos salieron corriendo, menos la conejita que, ignorante del peligro, estaba frente al espejo ensayando peinados. En el último instante se dio cuenta de la presencia del lobo y salió corriendo hacia el río. Desesperada, se tiró al agua y sus grandes y anchas orejas le sirvieron para mantenerse a flote. Con ellas remó hasta ponerse fuera del alcance del lobo. ¡Vaya susto que pasó la pobre conejita! Ella ha recapacitado y ha prometido que prestará menos atención a sus orejas y más a lo que ocurre a su alrededor.

«Hay cosas más importantes que presumir tanto.»

EL TOPO DESCONTENTO

La familia de los topos vivía bajo tierra en su oscura madriguera donde no penetraba la luz del sol. Allí se encontraban a salvo de enemigos. Pero el hijo mayor deseaba ver el campo a plena luz.

—No lo hagas —dijo su padre—. Tus ojos no están preparados para la luz. Si sales, te quedarás ciego.

El joven topo no se dio por vencido. Se fabricó unas gafas con gruesos cristales ahumados para aguantar la luminosidad y salió a la superficie dispuesto a explorar el mundo. Sin embargo, todo lo vio tan oscuro que echó de menos el mundo subterráneo en el que vivía. Triste, volvió a su madriguera.

—¡Bah! No merece la pena subir allá —exclamó resignado—. ¡Es todo tan lúgubre!

Así aprendió que cada uno ha de vivir en el espacio que la vida le ha asignado.

«Procura ser feliz con lo que tienes.»

4 de abril

LAS LIEBRES Y LAS RANAS

Las liebres estaban cansadas de huir siempre y se lamentaban diciendo:

—¡Qué pesadilla tener que huir siempre de los hombres, perros, águilas y tantos otros enemigos! ¡Así no hay quien viva!

Un día que corrían huyendo de un lobo, al llegar a un estanque se lanzaron al agua con gran algarabía, desesperadas.

Unas ranas que estaban en la orilla tomando tranquilamente el sol, al verlas llegar, se zambulleron muy asustadas, pues ante tal algarabía temieron por su vida.

Entonces las liebres comprendieron que en la naturaleza aún había seres más débiles e indefensos que ellas.

«Siempre hay alguien más débil que tú.»

5 de abril

LA URRACA

La paloma vivía en la rama más alta de un árbol con sus hijos. Un día llegó una zorra hambrienta y le dijo:

—O me das uno de tus hijos o te comeré de un mordisco.

La paloma, asustada, le dio al más pequeño. La urraca, que lo había visto, dijo a la paloma:

—No vuelvas a darle otro pichón a esa zorra desalmada. Tú vives en una rama muy alta y nunca podrá alcanzarte.

La zorra no tardó en volver pidiendo otro pichón a la paloma. Ésta se negó y le contestó lo que su vecina le había dicho. La zorra, irritada, fue a ver a la urraca, dispuesta a comérsela.

—Baja de la rama y explícame cómo duermes —le dijo, pensando en comérsela cuando se distrajera.

La urraca subió a la rama más alta del árbol y desde allí gritó a la zorra:

—Sube aquí si quieres ver cómo duermo.

La zorra volvió a su casa con el rabo entre las piernas.

«Siempre hay unos más listos que otros.»

LA ABEJA GOLOSA

Un día la abeja golosa regresó al panal y no pudo entrar por la puerta de lo gorda que se había puesto. Sus compañeras trataron de ayudarla pero fue inútil. La abeja glotona hubo de quedarse fuera. A la mañana siguiente sus compañeras la encontraron muerta. No había podido resistir el intenso frío de la noche.

«Si eres goloso te pondrás como un oso.»

Era una abeja muy golosa que se pasaba el día entero engullendo el néctar de las flores y no llevaba nada a la colmena. Cada día estaba más gorda, le costaba más y más moverse y sus amigas del panal estaban muy disgustadas con ella por su actitud.

—Abejita, no está bien lo que haces —le dijo una de sus compañeras.

7 de abril

LA PERRITA QUE NO COMÍA

Perrita llevaba días sin comer. Aunque le preparaban los platos más exquisitos, no probaba bocado.

El tiempo pasaba y ella cada vez estaba más flaca. Un día llegó al pueblo un perro vagabundo que, enterado del problema, pidió a los padres de Perrita que la dejaran ir con él. El perro vagabundo y Perrita se pasaron varios días juntos. Él comía siempre lo que le apetecía, pero no dejaba que ella probara bocado. Cuando ella regresó a casa estaba hambrienta. Devoró todo que le dieron.

«Si te falta la comida el hambre vendrá enseguida.»

EL LOBO FANFARRÓN

Un lobo asustaba a todos los animales del bosque con su terrible aspecto. Siempre estaba al acecho de cualquier víctima indefensa.

Al pasar delante de un castaño hueco, Ratoncín y Ardillita tuvieron una brillante idea para librarse de él definitivamente.

—Pondremos un espejo en el hueco del tronco —dijo Ardillita, ilusionada—. Lo demás corre de cuenta de este lobo fanfarrón.

Ambos dijeron a todo el mundo que un lobo muy feroz se había instalado en el tronco hueco y desafiaba a todos los demás lobos de la región.

Enterado el lobo fanfarrón de que alguien osaba desafiarle, colérico y echando chispas por los ojos, se dirigió al castaño hueco con su más terrible aspecto.

¡Cuál no sería su sorpresa al descubrir ante él un lobo tan horrible y fiero! Sintió tanto pavor que echó a correr. Dicen que todavía sigue huyendo.

«Si eres fanfarrón nunca debes hacerte el remolón.»

EL PUERCOESPÍN GUARDIÁN

El puercoespín es un animal muy feo y da algo de miedo, pues tiene todo su cuerpo lleno de púas. Sabe que nadie le quiere. ¿Qué culpa tiene él de ser así? Siempre intenta jugar con los demás animales pero ellos no quieren porque dicen que se pinchan cuando se acercan a él.

Un día llegó un lobo hambriento dispuesto a comerse a varios animalitos y todos se refugiaron en un rincón al que sólo se entraba por un sitio estrecho. El puercoespín fue con los demás pero se quedó en la entrada tapándola con su cuerpo lleno de púas. Cuando llegó el lobo, intentó pasar pero se pinchó con las púas y tuvo que irse.

Desde entonces todos son amables con el puercoespín y juegan con él.

«No desprecies a los feos, también ellos pueden ayudarte.»

EL OSO MALO

Un oso hacía la vida imposible a todos los habitantes del bosque. No paraba de molestarlos. En invierno los pobres animales descansaban y el oso se retiraba a su cueva a dormir. Un día, el zorro propuso a los demás animales una solución.

—Ahora que el oso está durmiendo, pongamos delante de su cueva un cuadro con un paisaje nevado —les dijo.

Así lo hicieron, y cuando el oso despertó de su letargo invernal vio que todo estaba nevado y que todavía no había terminado el invierno y volvió a dormirse. Y pasaron varios años. A fuerza de dormir, el oso murió sin darse cuenta y los animales del bosque pudieron disfrutar nuevamente de una vida libre y feliz.

«Al listo que fastidia le va mal en su vida.»

EL CARACOL ENVIDIOSO

Caracolín estaba muy triste. Todos los animales con los que se topaba andaban más deprisa y eran más ágiles que él. Unos brincaban, otros saltaban, algunos corrían, ¡y él, aguantando el peso de su caparazón! ¡Qué fastidio!

La tortuga, que tenía el mismo problema, le decía con gran optimismo y buen corazón:

—Caracolín, piensa que alguna ventaja tendrá tener ese caparazón.

Un día estalló una fortísima tormenta. Llovió muchísimo y muchos de los animalillos a los que tanto envidiaba murieron ahogados. Él tuvo mejor suerte. Encerrado en su caparazón, encontró un refugio seguro y se libró de morir.

«La envidia no tiene sentido.»

LOS BURROS LISTOS

La gente dice que los burros son tontos, pero no es verdad. Un labriego tenía dos burros. Los ató entre sí con una sola cuerda para que no pudieran escaparse. Cuando sintieron hambre cada uno tiraba de la cuerda intentando llegar al pesebre que tenía más cerca. Era inútil, pues la cuerda era corta. Comprendieron que tenían que dialogar.

—Vamos a ver. Somos dos para comer. La cuerda con la que estamos atados es muy corta y no podemos llegar cada uno al pesebre que tenemos más cerca. ¿Por qué no intentamos ir primero juntos al primer pesebre? Comeremos ambos de él y luego iremos también juntos a comer del otro pesebre, hasta que se nos pase el hambre.

—¡Buena idea! —exclamó su compañero. Y los dos burros se dieron el banquete a pesar de estar atados.

«Para poder subsistir hay que espabilar.»

EL RATONCILLO QUE QUERÍA VOLAR

Un ratoncillo quería imitar a los pájaros. ¡Qué fantástico sería volar alto teniendo el mundo debajo!

Un día comenzó a recoger las plumas sueltas que había por el campo y se fabricó dos pequeñas alas. Armado con ellas se subió a la rama más alta de un árbol y, desplegando las alas, se lanzó al espacio.

El ratoncillo cayó al suelo dándose un golpe terrible. Se rompió dos patas y varios dientes.

Durante su larga convalecencia con sus patas enyesadas recordaba el placer de correr, brincar y poder hincarle los dientes a un queso o coger piñones.

El ratoncillo se curó y volvió a corretear. Estaba contento con las patas que la naturaleza le había dado. ¡Los pájaros, a volar! Él era feliz corriendo sobre la tierra.

«Sé feliz con lo que tienes y no intentes ser siempre como los demás.»

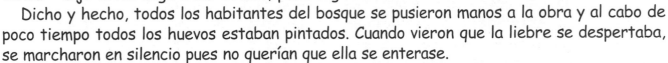

LA LIEBRE DE PASCUA

La liebre estaba muy preocupada. Se acercaba la Pascua y tenía mucho trabajo que hacer. Debía pintar miles y miles de huevos para obsequiar a los niños con ellos. Se puso a trabajar y al poco rato se quedó dormida.

Como era muy querida, los demás animales decidieron ayudarla para que pudiera estar todo terminado a tiempo.

—Nos pondremos a pintar los huevos mientras ella descansa —dijo la hormiga a los demás, para organizarse.

Dicho y hecho, todos los habitantes del bosque se pusieron manos a la obra y al cabo de poco tiempo todos los huevos estaban pintados. Cuando vieron que la liebre se despertaba, se marcharon en silencio pues no querían que ella se enterase.

La liebre se despertó y ¡qué sorpresa tuvo al ver su trabajo terminado!

—¡Oh, qué extraño! ¿Quién habrá hecho todo esto? —se preguntaba feliz. Creyó que la autora del prodigio había sido el Hada de Pascua. ¡Qué feliz se sintió!

«Ser bueno y tener amigos tiene su recompensa.»

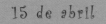

15 de abril

EL CANGURO SALVADOR

Canguro estaba triste, pues vivía apartado de sus compañeros a causa de su aspecto y la forma tan extraña que tenía de andar a saltos. Los demás le despreciaban.

Una tarde de verano se declaró un gran incendio. Mientras la mayoría de los animales corría gran peligro, Canguro, dando saltos enormes, podía salir de las llamas. Pero vio a varios topos y tortugas que, cegados por el brillo del fuego e incapaces de andar con rapidez, estaban a punto de ser devorados por las llamas. Sin dudar, Canguro se tumbó en el suelo y dijo a los animalitos que se instalasen en su bolsa. Luego, se alejó dando los saltos más grandes que le permitía el peso de su bolsa para salvar a sus amigos.

Desde aquel día todos los animales reconocieron el valor de Canguro, que había corrido un gran peligro por salvar a los que le habían despreciado.

«No desprecies a los demás, es muy probable que los necesites algún día.»

16 de abril

LOS TRES BUENOS AMIGOS

Pato, don Ratón y don Conejo salieron en busca de comida.

Don Pato encontró un huerto con tomates. Comió uno y se llevó dos más para sus buenos amigos. Antes de ir a casa dejó un tomate en la puerta de cada uno.

Don Ratón encontró un queso exquisito. Comió un buen trozo y reservó dos más para sus amigos. De paso hacia su casa, dejó un trozo del queso en la puerta de cada uno.

Don Conejo encontró unas zanahorias. Comió una y, acordándose de sus amigos, le dejó a cada uno de ellos una en la puerta de su casa.

A la mañana siguiente, al abrir la puerta, cada uno de ellos encontró lo que los demás le habían dejado. Muy contentos, decidieron ir a comérselo juntos al río. ¡Ésa es la auténtica amistad!

«Los buenos amigos lo comparten todo.»

17 de abril

EL PERRITO QUE HACÍA COMETAS

Perrito era un artista haciendo cometas. ¡Disfrutaba tanto con ellas! Las construía cada vez más grandes, pero nunca estaba satisfecho de cómo le quedaban.

Un día decidió hacer una cometa gigante. Cuando la terminó, la arrastró hasta un pequeño altozano ayudado por su amigo el oso.

Llegado el momento, una fuerte ráfaga de aire elevó la cometa, que le arrastró tras ella elevándose en el aire. Pronto se perdió en lo alto del cielo, entre las nubes.

Perrito y su cometa siguen todavía dando vueltas y más vueltas alrededor de la Tierra. ¡Qué viaje más fantástico! ¿Dónde aterrizarán?

«Antes de tu cometa lanzar, debes pensar lo que te puede pasar.»

EL PATITO FEO

Mamá Pata tuvo unos preciosos patitos, menos uno que era feo. Como nadie quería jugar con él tuvo que irse de allí, pues no era feliz.

Nadó río abajo. ¡Qué miedo pasó! Una viejecita lo recogió y se lo llevó a casa para cuidarlo y darle de comer.

Días después el patito tuvo que salir corriendo pues la viejecita quería hacer con él un guiso. Tras muchas peripecias el patito llegó a una laguna llena de hermosos cisnes. Iba a escapar, asustado, pero los cisnes lo acogieron como uno de los suyos y el patito descubrió asombrado que él también era un cisne.

«El feo no debe asustarse; el tiempo lo arregla todo.»

EL HIPOPÓTAMO QUE QUERÍA SER DELGADO

Don Hipopótamo estaba avergonzado, ¡sus amigos eran tan delgados y él tan gordito!

—Pásate un día entero apoyado sobre una sola pata y verás cómo pierdes peso —le decía el flamenco.

—Lo que necesitas es hacer mucho deporte —le dijo el leopardo, dispuesto a ayudarle.

—¡Bah! Eso tiene arreglo —añadió el avestruz—, cómete unas cuantas piedras y verás cómo adelgazas.

Don Hipopótamo siguió el consejo de sus amigos: se pasó un día sobre una sola pata y tuvo un esguince; veinticuatro horas de gimnasia lo dejaron baldado y las piedras que comió le dieron una gran pesadez de estómago. Por fin, a fuerza de mirarse al espejo, don Hipopótamo comprendió que él no estaba más gordo que sus amigos. Sencillamente, tenía una constitución física diferente.

«No pretendas ser como los demás y aprende a ser feliz como tú eres.»

61

EL LEOPARDO BURLADO

El leopardo no había cazado nada ese día, así que estaba cansado, de mal humor y hambriento. De vuelta a casa, vio a lo lejos una paloma que se miraba en un charco. Sin dudarlo, se lanzó sobre ella.

La paloma, al verse en las garras del leopardo, con gran tranquilidad le dijo:

—Reconozco que estoy en tus garras y vas a comerme, pero antes quisiera que me concedieses un deseo. Me entusiasma oír tu rugido, ¡es tan poderoso...! ¡Sé bueno y compláceme! Será mi último deseo.

El leopardo dudó unos instantes. La paloma estaba bien asegurada en sus fauces. ¿Por qué iba a negarse? Era su último deseo.

Dio un rugido largo y profundo, pero para hacerlo tuvo que abrir la boca, momento que aprovechó la paloma para huir volando.

De esta manera, el leopardo vio su vanidad burlada, pues la paloma fue más lista.

«Si eres vanidoso verás que muchas cosas perderás.»

LA TROMPA DEL ELEFANTE

Hace muchos años los elefantes no tenían trompa sino una nariz algo pronunciada. El origen de la trompa se debe a un elefantito muy curioso que no paraba de hacer preguntas.

—¿Por qué anda usted siempre bajo tierra? —le preguntaba al señor Topo.

—¿Qué comes? —decía a su vecino el conejo.

—¿Por qué duermes boca abajo, Murciélago?

Estaban hartos de que hiciera tantas preguntas. Un día le preguntó al cocodrilo.

—¿Por qué estás en el agua?

—Ven, que te lo digo al oído —le contestó.

El ingenuo elefantito se acercó, y de una dentellada el cocodrilo apresó con sus mandíbulas su nariz. Éste tiró con todas sus fuerzas tratando de liberarse desesperadamente. Tanto duró la pelea que, poco a poco, la nariz del elefantito se alargó cada vez más, hasta que, de un gran tirón, logró soltarse. Para entonces la nariz se había convertido en una trompa enorme y flexible.

«No es malo ser ingenuo cuando el resultado es bueno.»

22 de abril

EL OSO GOLOSO

Osón siempre buscaba pelea y, aunque era en broma, resultaba muy molesto, pues se ponía muy pesado. Además, le volvía loco la miel y no dudaba en comerse la de los demás. Todos estaban hartos de él, especialmente sus amigos Zorrete y Conejín.

—Conejín, vamos a almacenar toda la miel que podamos —dijo un día Zorrete—. Se la pondremos en jarras grandes y las dejaremos a la puerta de su casa. Le gusta tanto que cuando la vea, la cogerá y se meterá en casa a zampársela, así nosotros podremos descansar de él por fin.

Y así fue. Osón, goloso insaciable, prefirió meterse en su casa con la miel. Así descansaron de sus bromas una buena temporada. ¡Hasta que se acabó la miel!

«Ser tan goloso nunca resultará

23 de abril

EL SALTAMONTES Y EL PERRO

Un saltamontes decidió divertirse a costa de un perro callejero.

—Te apuesto lo que quieras a que soy más veloz que tú y me canso menos.

El perro, sorprendido, replicó algo molesto:

—¿Que tú corres más que yo y te cansas menos? ¡Vete de aquí y déjame en paz!

El saltamontes insistió hasta que el perro, aburrido de oir siempre la misma cantinela, quiso darle una lección.

—¡Uno, dos y... tres! —gritó un sapo, que hacía de juez de la carrera.

El perro salió disparado y no se dio cuenta de que, un momento antes, el saltamontes había saltado sobre su lomo.

El perro siguió corriendo hasta que, a pocos metros de la meta, el saltamontes dio un gran salto desde el lomo y fue a caer en la misma línea de meta antes de que la cruzara el perro. ¡Había vencido!

El perro, asombrado, aún debe de andar preguntándose cómo pudo ser vencido por el astuto saltamontes.

«No te distraigas en lo que hagas.»

EL LOBO Y LA LUNA

El lobo estaba muy hambriento y no encontraba nada que comer cerca.

Cuando vio al zorro, se dirigió hacia él con intención de comérselo. El zorro entonces, bastante asustado, gritó bien fuerte:

—¡Perdóneme la vida, señor lobo! ¡Ya ve lo flaco que estoy! Si me perdona, le diré dónde hay un pozo lleno de quesos.

El lobo accedió. Ya de noche, el zorro le condujo al pozo. El lobo se asomó y vio la luna reflejada en el agua, y, creyendo que era un queso, dijo al zorro:

—Baja a traerme ese queso —y el otro se metió en un cubo y bajó al fondo del pozo.

—¡Este queso es muy pesado! ¡Yo solo no puedo con él! ¡Baje y ayúdeme, por favor! —dijo el zorro lastimero.

El lobo accedió. Se metió en otro cubo y, como pesaba más que el zorro, bajó muy rápido mientras que el cubo del zorro subía. Ya fuera, éste se burló del lobo y le dejó allí.

«Con astucia es fácil engañar.»

LA VANIDAD BURLADA

La jirafa era muy orgullosa y, por ser alta y esbelta, se creía el animal más importante de la creación.

Una tarde, todos los animales oyeron un ruido a lo lejos. No sabían a qué era debido, por lo que preguntaron a la vanidosa jirafa si ella podía ver algo.

—Nada veo, vecinos pesados. A lo lejos está todo tranquilo —les contestó.

Una ardilla, poco satisfecha con la explicación, decidió comprobarlo por sí misma. Trepó hasta la rama más alta de un árbol y desde allí pudo ver que un gran incendio se acercaba al bosque amenazando con quemarlo. La situación era muy peligrosa.

Gracias a la modesta ardilla, los animales pudieron ponerse a salvo. Desde entonces nadie ha vuelto a hacer caso a la estúpida jirafa.

«Es mejor la modestia que la vanidad.»

EL ELEFANTE COBARDICA

Era un elefante terrible, pesaba muchas toneladas y sus patas dejaban enormes huellas. Imponente y fanfarrón, se pasaba el día asustando a los demás animales. Ni el león ni la pantera le causaban el más leve temor. Era realmente valiente.

—Soy el rey. Nadie puede contra mí —decía orgulloso el elefante.

Ratoncín no se asustó y decidió darle una lección. Se acercó al elefante y le dijo:

—¡Eres un cobarde y un inútil, elefante tonto! ¡Demuéstrame que me equivoco!

Antes de que el elefante pudiera reaccionar, Ratoncín se agarró al extremo de su trompa y la mordió. Después, sin dar tiempo a su rival, trepó por el cuerpo del elefante y se metió en su enorme oreja y allí también mordió. Así continuó hasta cansarse, sin que el elefante pudiese hacer nada.

Desde entonces los elefantes tienen un miedo enorme a los ratones.

«No juzgues a nadie por su tamaño.»

EL RATONCILLO DESOBEDIENTE

—Hijo, el mundo está lleno de peligros —decía el ratón a su hijo—, ¡ten mucho cuidado con el gato! Mira bien dónde vas y procura no tocar nada sin haberlo examinado antes con atención.

Sin embargo, el ratoncillo recorría todos los rincones de la casa sin acordarse de los consejos de su padre.

Un día encontró en un rincón un trozo de queso sobre un extraño aparato.

—No parece que haya nadie por aquí —se dijo el ratoncillo—. ¡El queso es mío!

Y se acercó para hincarle el diente, pero entonces... ¡zas!, una barra metálica se disparó y se clavó en su cuello. Así terminaron las aventuras del incauto ratoncillo.

«Los mayores tienen más experiencia.»

28 de abril

EL FIN DE UN SUEÑO

El perrito está construyendo un castillo de arena en una playa. Sueña con que sea el más bonito del mundo. Trabaja sin descanso muchas horas hasta que a la caída de la tarde termina su trabajo. Un maravilloso castillo se alza en la arena.

—¡Oh! ¡Qué castillo más bonito! —dice una marsopa encantada con lo que veía.

—¡Nunca he visto algo tan esbelto y resistente! —afirma una tortuga marina.

—¡Es increíble! —opina otro perrito.

Sin embargo, muy poco dura el sueño. De pronto, se levanta una ola gigantesca que lo arrasa todo y el castillo se derrumba arrastrado por el agua.

¡Qué disgusto para el perrito! ¡Su gran sueño se había ido a pique!

—No sufras, hijo —le consuela su madre— todo tiene un fin. El castillo ha durado lo suficiente. Mañana podrás construir otro.

«Sueña y serás feliz.»

29 de abril

EL CUMPLEAÑOS DE MININO

Minino cumple hoy tres años. Ya es un gato mayor. Está muy contento e invita a sus amigos a una fiesta en su casa.

La mamá ha hecho un pastel de cumpleaños con tres velas que Minino tiene que apagar a la vez que pide un deseo.

Minino sopla con todas sus fuerzas, pero sólo apaga una. Entonces Osote sopla tan fuerte que, además de apagar las velas, hace que el pastel salte por los aires y caiga sobre la cabeza de Minino.

Todos se ríen mucho y su mamá hace otro pastel.

«Con humor todo resulta más divertido.»

TODOS DESEAN LO QUE NO TIENEN

Había un ratón de campo que se aburría de lo lindo. Estaba harto de comer siempre frutas, verduras, nueces y demás alimentos típicos del entorno en que vivía.

Como tenía cierta cultura, pues le encantaba leer libros, sabía que en la ciudad se vivía de un modo más variado y divertido. Había leído que allí abundaban las golosinas, los refrescos, los pescados suculentos y otras delicias.

Sin dudarlo, resolvió dejar el campo e irse a la ciudad. Allí su vida podría tomar nuevos rumbos y podría vivir mucho mejor.

A mitad de camino se encontró con un primo suyo que vivía en la ciudad. Extrañado de verle allí, le preguntó:

—¿Adónde vas por aquí, querido primo?

—¡Uf! ¡No me hables! —le respondió éste con gesto cansado—. ¡Me voy de la ciudad! Estoy harto de la contaminación, del ruido, del tráfico y de la comida de allí. Me estoy volviendo loco. No lo soporto, así que me voy a vivir al campo, donde todo es tranquilidad y aire puro.

Naturalmente, cada cual siguió su camino, en direcciones opuestas. Ninguno pudo convencer al otro de su idea. Como veis, nadie está contento con su suerte.

«Siempre vamos tras nuestros sueños.»

EL CONEJITO COMILÓN

Una familia de conejos vivía en pleno bosque, rodeados de árboles. Estaba formada por un feliz matrimonio y tres hijitos. Estos se llamaban, respectivamente: Tap, Tep y Tip.

El más pequeño de los tres, Tip, tenía fama de comilón en la vecindad. Acostumbraba a irse de casa por la mañana temprano y volvía cuando ya era de noche. Sus padres estaban muy preocupados por él.

—No es bueno que estés tanto tiempo por ahí, Tip. Hay muchos peligros fuera —le decía su madre.

Pero Tip no hacía caso y seguía haciendo lo que le apetecía, desobedeciendo los consejos de sus padres. Un día regresó antes de lo normal. No se sentía bien. El médico dijo que sufría una indigestión. Por fin, Tip se decidió a contar lo ocurrido.

—Me metí en un huerto fuera del bosque y... me comí un saco lleno de zanahorias —dijo con voz temblorosa temiendo una regañina.

¡Un saco lleno de zanahorias! Sus padres se quedaron estupefactos, pues temían lo que podía ocurrir. Efectivamente, no tardó en presentarse el dueño del huerto exigiendo que le pagasen las zanahorias que le habían quitado.

—No se preocupe —le prometió papá Conejo—. Mi hijo Tip trabajará hasta que la deuda quede completamente satisfecha.

Tip comprendió que ser comilón no le traía ningún beneficio y empezó a trabajar y a no ser glotón.

«Nunca cojas lo que no es tuyo, pues no te pertenece.»

LA SORPRESA DE DON LIRÓN

Llamaron a la puerta de don Lirón. Era Topito, el hijo de don Topo, el vecino que vivía enfrente.

—Dice mi mamá que a ver si usted puede prestarme un kilo de harina. Está haciendo un pastel y se le ha acabado —explicó el pequeño.

Don Lirón, que era muy tacaño, le dio el kilo de harina. La familia Topo le había hecho favores y se sentía obligado a corresponder. Al cabo de un rato vino otra vez Topito pidiendo esta vez medio kilo de azúcar, también para el pastel que estaba haciendo su madre.

Don Lirón, enfadado, le dio medio kilo, pero de sal, ¡así aprenderían esos pedigüeños a no andar pidiendo a los demás! Al poco rato la familia Topo llamaba a la puerta de don Lirón. La madre traía un gran pastel de nata y fresa, con grandes guindas rojas.

—Venimos a felicitarle, don Lirón, ¿no es hoy su cumpleaños? —dijo ella sonriendo.

A don Lirón casi le dio un ataque. Su tacañería había sido castigada.

«La tacañería es mala consejera.»

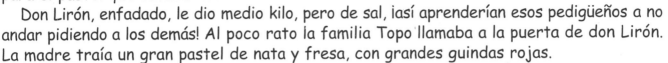

EL GRILLO AFÓNICO

—¡Qué desgraciado soy, no puedo cantar! —se lamentaba el grillo.

Un primo suyo, enterado de su sufrimiento, vino a visitarlo para darle ánimos.

—Tu afonía no es problema —dijo en tono tranquilizador—. Yo formo parte de una orquesta con unos amigos y en este momento nos hace falta un trompetista. Tú tocas muy bien la trompeta, ¿no es verdad?

—¡Oh, gracias! —le contestó el grillo—. Sí, siempre me ha gustado tocarla.

Desde ese día aquella orquesta fue la más famosa de los alrededores. Aunque el grillo siguió sin cantar, se convirtió en el mejor trompetista de la pradera.

«No hay mal que por bien no venga.»

EL CHIMPANCÉ CONSTRUCTOR

Era un chimpancé muy estudioso que quería ser arquitecto. Un día le dijo a su buen amigo el cervatillo:

—Voy a construir una casa para ti.

—Eso está muy bien, pero trabaja seguro, no sea que te ocurra alguna desgracia —advirtió don Oso, que pasaba por allí al lado y había oído la conversación entre los amigos.

El chimpancé no hizo caso del consejo y se puso a trabajar con entusiasmo. En esto, una ardilla que vivía justo encima del cervatillo, al ir a coger una piña, se le escurrió y cayó... justamente sobre la cabeza del chimpancé constructor, quien en ese momento estaba distraído. Además del susto, le salió un chichón en la cabeza. Desde ese día trabajó siempre con el casco puesto e hizo caso de los consejos.

«Chimpancé precavido vale por dos.»

CUATRO CERDITOS

Cuatro cerditos iban por el campo a comer a casa de su abuelita. Se encontraron con dos osos que venían en dirección contraria y que traían ganas de fastidiar.

—No sigáis por este camino —les dijeron—, está cortado. Es mejor que deis un rodeo por el bosque.

Los cerditos se adentraron en el bosque, pero al poco tiempo comprendieron que se habían perdido. Por fortuna, un periquito había oído la conversación y les dijo:

—Salid del bosque, esos osos mentirosos os han engañado. El camino no está cortado. Seguidme, yo os llevaré.

Los cerditos obedecieron y no tardaron en estar de nuevo en el camino que habían abandonado. Antes de despedirse, el periquito les advirtió:

—Espero que hayáis aprendido la lección. No os fiéis del primero que pase.

Los cerditos aprendieron la lección y no volvieron a creer las mentiras de nadie.

«Desconfía de los que no son tus amigos.»

LA VIVIENDA DEL GUSANILLO

—A ver si encuentro un peral a mi gusto, porque antes vivía en un melocotonero infernal. ¡Qué ruido había a todas horas! —decía un gusano.

—Yo también tengo que mudarme a otro sitio más tranquilo. Vivo en un cuchitril lleno de jaleo —se quejó otro gusano que estaba a su lado.

Tan distraídos estaban con la conversación que no repararon en que se acercaban a un grupo de gallinas hambrientas que, muy contentas, abrieron el pico dispuestas a darse un

banquete a costa de los dos caminantes.

En ese mismo momento el viento hizo caer una piedra sobre las gallinas, que retrocedieron muy asustadas. El ruido de la piedra alertó a los gusanillos que corrieron rápidos a esconderse.

«Mirad siempre por dónde andáis, no vaya a ser que os ocurra lo que a estos gusanillos y no tengáis la suerte que tuvieron ellos.»

DOS AMIGUITAS

Dos avestruces eran muy amigas y se querían mucho. Sin embargo, siempre estaban discutiendo.

—¡Hoy tenemos que jugar a lo que yo diga! —gritaba una, enfadada.

—¡De eso, nada! Yo soy más lista que tú y por eso quiero que juguemos a este juego que te voy a enseñar! —respondía la otra.

Estas disputas eran diarias. Al final, las dos volvían a casa muy enfadadas sin haber jugado a nada.

Al día siguiente se amigaban pero sólo para volver a discutir.

Por fin, una de ellas tuvo una idea.

—Mira, es mejor que hablemos seriamente, a ver si llegamos a un acuerdo.

Ambas comprendieron que la única forma de arreglar la situación era jugar un día a lo que quería una, y al día siguiente a lo que quería la otra.

Pusieron en práctica esa idea y nunca más volvieron a pelearse por asuntos de juego.

«Si uno no quiere, dos no pelean.»

8 de mayo

EL PATO DEPORTISTA

—Puedes ser buen estudiante y buen deportista a la vez, sólo debes organizar tu tiempo un poco mejor —le aconsejó su padre.

—Bueno, papá. Intentaré estudiar un poco más —prometió Pato. Sin embargo, tras unos días de estudio, Pato volvió a las andadas. Su profesor, ya perdida la paciencia, le dijo:

—Si no apruebas el curso con buenas notas, no vas al concurso de natación.

Como Pato tenía facilidad para el estudio, recuperó el tiempo perdido y aprobó el curso. Además, ganó la carrera y se llevó un trofeo muy valioso por su merecida victoria.

«Si trabajas con afán, muchas cosas al final conseguirás.»

Pato era un gran nadador y se puso muy contento cuando supo que en su colegio se celebraría una competición de natación a final de curso. Desde ese día, Pato entrenaba con entusiasmo. Como no tenía tiempo para todo, fue descuidando los estudios y, de ser el primero de la clase, pasó a ser de los últimos. Sus padres, preocupados, trataron de convencerle de que no descuidase sus estudios.

9 de mayo

EL TÍO GENEROSO

La familia Ardilla esperaba ilusionada la visita del tío millonario. Éste era famoso por los regalos que hacía. Las riquezas le importaban poco y consideraba a las personas según sus cualidades y virtudes.

—Ardillín, limpia tu cuarto —le pidió la madre al hijo más pequeño, que era bastante holgazán.

—Lo dejaré como un espejo —dijo Ar-

dillín. Pero se tumbó en la cama soñando con los regalos que le daría su tío. Así pasó un rato hasta que le despertó la voz de su tío.

—¡Vaya, vaya! ¡Así que todos trabajan para darme la bienvenida y tú estás holgazaneando! ¡El que no trabaja no tiene regalo!

La hermanita de Ardillín intercedió por él.

—Perdónale, no volverá a holgazanear.

—Bueno, si tú me lo aseguras, confiaré en él —aceptó al fin el tío a regañadientes.

Desde ese día, Ardillín, agradecido a su hermana, se prometió no defraudarla.

Por supuesto, recibió un valioso regalo de su tío, como los demás, pues se lo merecía.

«Todos se deben ayudar en la familia.»

LA TRUCHA TRAVIESA

—¡Ah, qué aburrimiento! ¿Por qué no cambiaremos de río alguna vez? —se lamentaba la trucha.

Un día nadó río abajo. Al cabo de mucho rato, sintió que la corriente le arrastraba hacia el mar. Entonces se acordó de su familia y quiso regresar a casa, pero no podía y se alejaba cada vez más. En la inmensidad del océano se sintió perdida, y vio que se acercaba un caballito de mar.

—¿Qué te pasa, truchita? —le preguntó al verla triste.

La trucha le explicó lo sucedido. Entonces, el caballito se echó a la trucha a sus espaldas y la llevó hasta donde empezaba el río. Desde allí podría regresar a su casa.

—¡Gracias, buen caballito de mar! ¡A ti te debo que nada me haya ocurrido! —exclamó la trucha, agradecida.

El gentil caballito se alejó, muy contento, y la trucha pudo regresar a casa y prometió que jamás volvería a irse.

«Más vale lo malo conocido, que lo bueno por conocer.»

DOS MARIQUITAS

Mari y Quita eran hermanas gemelas. Sin embargo, Mari era buena y estudiosa, mientras que Quita era envidiosa y perezosa.

Finalizaba el verano y pronto volverían al colegio. La profesora había mandado deberes para las vacaciones pero sólo Mari los había hecho, pues Quita prefirió jugar.

Quita, temerosa de que la profesora felicitase a su hermana y a ella no, borró los deberes de ésta. Así las dos estarían igual.

¡Cuál no sería su sorpresa cuando el primer día de clase la profesora felicitó a Mari por sus deberes! Había ocurrido que Mari, sabiendo que a su hermana le iban a poner un cero por no presentar sus deberes, decidió ayudarla. Quita, por equivocación, había borrado su propio cuaderno y los deberes que Mari había hecho por ella.

Naturalmente, Quita se ganó un cero. Avergonzada, fue desde aquel mismo día tan buena estudiante como su hermana. ¡Ahora sí que nadie podría distinguirlas!

«Todo sale bien si no hay maldad ni envidia.»

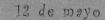

UN LORO POCO PUNTUAL

Cuando se despertó recordó la reunión. Por mucha prisa que se dio, llegó cuando había terminado.

—¿Qué diré a los loros? —se preguntaba Lorín angustiado—. Querrán saber lo acordado en la reunión, como es natural. Bueno, algo me inventaré.

Un día, se convocó una importante reunión. Acudieron centenares de animales puntuales a la cita. Bueno... alguien faltaba.

—No veo por aquí a Lorín —dijo Osita—. Tenía que venir en representación de todos los loros. ¿Qué le habrá pasado?

A esa hora Lorín dormía.

Lorín contó tales mentiras a sus representados que los demás loros se dieron cuenta de que mentía y de que no había acudido.

—Más nos habría valido confiar en un loro serio y puntual que hubiera cumplido sus compromisos —comentó uno, fastidiado.

«La formalidad es una virtud que hay que tener en cuenta.»

EL MAESTRO UVA

A don Oso, el maestro, todos le llamaban el «maestro Uva» porque todos los días merendaba uvas en un descanso de la clase. Solía guardarlas en un paquete sobre la mesa. La liebre y el castor presumían de ser los más traviesos de la clase. Un día quisieron gastar una broma a don Oso. En una distracción, le quitaron las uvas del paquete y las cambiaron por trocitos de carbón. A la hora acostumbrada, don Oso echó mano del paquete, pero no lo cogió.

—Don Oso, ¿por qué no quiere comerse usted hoy las uvas? Están muy ricas.

—No puedo, tengo que ir al médico dentro de una hora con el estómago vacío. ¿Queréis coméroslas vosotros?

—¡No, no, de verdad! ¡Muchas gracias, no nos gustan las uvas! —respondieron.

De este modo, los dos traviesos alumnos se quedaron con las ganas de reírse a costa del profesor, pues éste no se había enterado de la broma que le habían preparado.

«Las bromas pesadas se pagan.»

DOS MOSCAS Y UN JUEGO

Dos moscas decidieron inventarse un juego.

—Desde ahora diremos siempre la verdad a todo el que pase —dijo una.

—¡Me parece una gran idea! Será un juego útil —dijo la otra muy contenta.

No tardó en aparecer una abejita que quería hacerse amiga de ellas. Nada más verla, ambas moscas le dijeron:

—Mira, abejita, nosotras queremos decir siempre la verdad. Eres demasiado fea y tonta para ser nuestra amiga.

La abejita, muy apenada, se alejó. Contó a las demás abejas lo sucedido y todas vinieron en tropel en busca de las dos moscas, pues también querían jugar a decirles la verdad. Ya ante ambas, la abejita ofendida se adelantó y dijo:

—Nosotras también queremos jugar a decir la verdad. Pensamos que por dentro sois muy simpáticas y humanas. Esperamos que sepáis ver también nuestro interior.

Ante esta frase las dos moscas comprendieron que una abeja no es sólo su aspecto exterior sino su espíritu y su carácter. Desde entonces todas fueron muy amigas.

«Si un amigo es feo no lo desprecies, pues todos tenemos buenas cualidades.»

15 de mayo

LA OVEJITA DORMILONA

Todos los días, Dormilona y sus amigas salían a pastar al monte. Después de pastar, Dormilona siempre se quedaba dormida y roncaba tan fuerte que molestaba a sus compañeras. Éstas tenían que despertarla para volver al pueblo. Un día decidieron darle un buen susto.

Sus compañeras se marcharon sin avisarla y cuando Dormilona se despertó ya casi era de noche. Al verse sola se llevó un tremendo susto y tuvo que regresar al pueblo a toda prisa.

—A ver si a partir de ahora procuras que ninguna de nosotras tenga que hacer de «despertador». Esperamos que lo de hoy te haya servido de lección para siempre.

Dormilona ya no volvió a merecer tal nombre, pues comprendió que no había actuado bien con sus compañeras.

«Cada cosa en su momento.»

LA ESTRELLITA DE MAR

Los peces del mar admiraban la belleza de Estrellita. Sin embargo, Estrellita estaba triste. Cuando salía a la superficie y contemplaba las estrellas del cielo deseaba ser una de ellas.

—Nada tienes que envidiar a tus hermanas celestes —le decía un pez espada—. Tu belleza es tan deslumbrante como la suya.

Aunque ella agradecía la frase, suspiraba y seguía mirando el cielo.

Un día, Estrellita soñó que era una estrella del universo. Veía a sus hermanas lejos, muy lejos, y, aunque intentaba hablar con ellas, no podía. Por eso despedía un brillo tan intenso, ya que la luz era su única forma de comunicarse con sus hermanas.

Al despertarse, Estrellita comprendió el sentido de su sueño.

«Nadie puede sentirse satisfecho si envidia las virtudes y cualidades de las otras personas.»

EL BÚHO MIOPE

Flip, un búho muy simpático, era uno de los vigilantes del parque de la ciudad. Como era miope, no quería hacer guardias nocturnas.

—¡Sí, sí, miope! Lo que quieres es que por la noche trabajemos nosotros mientras tú duermes —decía la lechuza, vigilante nocturna del parque. Entonces, Flip aceptó hacer todas las guardias nocturnas que le tocasen sin rechistar en absoluto.

Una noche muy calurosa que Flip hacía guardia, un grupo de gatos entró y arrancó todas las flores sin que él se enterara. A la mañana siguiente, la sorpresa de Flip fue enorme, pues él no se había enterado de nada. Sus amigos, viendo que la miopía de Flip era verdadera, decidieron comprarle unas gafas.

Desde aquel día nadie volvió a intentar sorprender la buena voluntad de Flip, pues con sus gafas veía todo y estaba siempre alerta. Su parque volvió a llenarse de flores y llegó a ser uno de los más bonitos de la ciudad.

«A los discapacitados hay que ayudarles.»

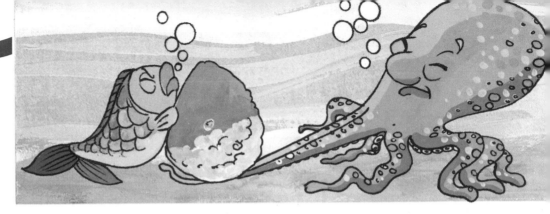

EL PECECITO DE COLORES

Nadando, nadando, un pez de colores descubrió un pulpo que estaba aprisionado bajo una piedra. El pececillo se dispuso a acudir en su ayuda, pero la advertencia del pulpo le detuvo en seco:

—¡No te acerques a mí, pececito de colores! ¡Si tocas la arena que me rodea perderás tus bellos colores! —le avisó con voz lastimera, resignado a su suerte.

—Poco me importan estos colores que ahora tengo —contestó—. Tú necesitas ayuda.

Y así lo hizo. Tras un rato de trabajo logró liberar al pulpo. En su esfuerzo se había manchado de arena y sobre sus escamas quedaba un tinte marrón oscuro como recuerdo de sus hermosos colores.

El pececito fue admirado en todo el océano por su bondad. Aunque sus escamas ya no tenían la belleza de antes, todos sabían que tenía muy buen corazón.

«Aunque te venga mal, siempre debes ayudar a los demás.»

EL SALTAMONTES TRISTE

El pobre saltamontes estaba muy triste pues había nacido con una pata más corta que la otra y no podía saltar como los demás.

Todos intentaban animarle contándole historias, pero el saltamontes lo que quería era saltar. Un grillo y un gusano, ambos amigos del saltamontes, paseaban un día y vieron a dos cucarachas que habían encontrado unos muelles abandonados. Ambas jugaban con ellos dando saltos cada vez más grandes.

El grillo y el gusano tuvieron la misma idea. Corrieron junto a su amigo el saltamontes llevando consigo uno de tales muelles.

—¡Toma, aquí te traemos algo que puede ayudarte! —dijo el grillo. Dudó el saltamontes antes de practicar saltos con el muelle. Aunque al principio no lo utilizaba bien, al poco tiempo daba unos saltos grandísimos.

Su problema se había solucionado gracias a los buenos amigos que tenía.

«Una buena amistad mucho puede arreglar.»

LA HORMIGA QUE NO GUARDABA SECRETOS

Hormiguita Hera muy buena, pero tenía un defecto: no sabía guardar un secreto. Alguna amiga suya le había confiado un secreto con la promesa de no contarlo, pero casi siempre, al día siguiente todo el hormiguero sabía la historia. Un día se convocó un concurso en el hormiguero. Consistía en que la hormiga que trajese el manjar más grande y suculento se llevaría un gran premio. Hormiguita sabía dónde había un gran trozo de manzana. Necesitaba ayuda pues ella sola no podía llevarlo al hormiguero. Decidió contárselo a una amiga.

—Si me prometes que no vas a contar a nadie un secreto, compartirás conmigo el premio del concurso —le dijo Hormiguita.

Hormiguita explicó a su amiga dónde estaba el trozo de manzana y quedaron a una hora en el sitio que le indicaba. Cuando Hormiguita llegó al lugar secreto vio sorprendida que el trozo de manzana había desaparecido. En su lugar había un papel que decía: «Para que te sirva de lección. Los secretos han de guardarse. Si no, ya ves el resultado».

Hormiguita vio cómo el premio lo ganaba su amiga. Pero ésta, comprensiva, quiso compartir con ella una parte. Desde entonces fue una hormiga discreta y supo guardar los secretos.

«Cuando no se puede confiar, los secretos hay que guardar.»

LAS PULGAS Y EL PERRO

Una pulga viajera se quedó a vivir entre los pelos de un perro vagabundo. Allí se encontró con otra pulga y ambas se pasaban el día charlando.

Mientras, el perro se aburría, pero sus oídos eran tan finos que un día oyó unos gritos

y susurros que procedían de las pulgas. No tardó en descubrir a las dos amigas, que, muy asustadas, intentaron alejarse del perro. Éste, que deseaba compañía, les dijo:

—¡Esperad un momento! ¿Por qué tenéis tanta prisa? Podemos ser buenos amigos. Yo os dejo que viváis sobre mi lomo y vosotras, a cambio, dais esos gritos de vez en cuando. Así me distraigo y vosotras vivís calentitas. ¿Queréis? ¿Os parece buena idea?

Como podéis imaginaros, las pulgas aceptaron.

«Los animales y personas, por diferentes que sean, siempre pueden encontrar la forma de ser amigos.»

EL GATITO Y EL CANARIO

Gatito era muy terco, jamás daba su pata a torcer ante los demás.

Un día, Gatito se fijó en un hermoso canario cuya jaula colgaba de un gancho muy alto. Se relamía pensando en el sabroso bocado que tenía ante sus ojos.

«¡Huuuum! Voy a comerme a éste cueste lo que cueste», pensó.

Muy tranquilo, Gatito se sentó frente a la jaula en la que vivía el canario y aguardó pacientemente. El canario, compadecido del pobre gato, le dijo:

—Creo que estás perdiendo el tiempo, porque nunca voy a salir de esta jaula. ¿No sería mejor que subieses a aquellos árboles que se ven a lo lejos? Seguro que allí hay pájaros.

—Por mí no te preocupes, amigo. Si es necesario, esperaré toda la vida.

—Allá tú. Yo ya te he advertido —dijo el canario muy tranquilo.

Pasaron horas, días, semanas, meses y años. Gatito se alimentaba de algún que otro ratón que pasaba por allí. Aunque se había hecho viejo, seguía firme en su propósito. Murió antes que el canario, que siguió viviendo muy tranquilo en su jaula.

«*Ser ambicioso y desconfiado da malos resultados.*»

TERRI Y EL GATO MALO

Terri era un perro muy travieso, que asustaba a los gatos del barrio.

—¡Bah, son todos unos cobardicas! Si les ladro, salen corriendo —decía Terri.

Le hubiera gustado encontrar algún enemigo importante, pero no era posible. Le hablaron de un gato feroz que vivía en la esquina de su calle. Allá fue Terri a comprobar su valentía y, cuando estuvo frente a él, ladró con fuerza. El gato, lejos de asustarse, erizó todo su pelo.

—¡Gatito engreído! Será mejor que huyas cuando yo ladro. Si no, puedes tener un disgusto —amenazó Terri, airado.

El «gatito», sin decir palabra, se lanzó sobre Terri y le arañó furioso mientras decía:

—¡Tú sí que vas a tener un disgusto!

Terri se asustó. Tenía un arañazo que le dolía. Desde ese día dejó de perseguir a los gatos. Al contrario, cuando veía uno, echaba a correr.

«*No te dejes llevar por el orgullo y la violencia. Puedes sufrir una amarga lección.*»

EL CERVATILLO Y SU PRIMA

Los celos de Cervatillo crecieron hasta hacerse intolerables.

«Estropearé la planta que tanto gusta a mamá y le echaré la culpa a ella», se dijo a sí mismo Cervatillo. Y así lo hizo.

La mamá de Cervatillo se enfadó mucho, pero su prima, llena de valentía, dijo:

—Yo he roto la planta, tía. Lo siento.

Ella sabía quién había sido el autor de la fechoría, pero no quería que castigasen a Cervatillo. Éste, avergonzado, contó la verdad y desde ese día fue un cervatillo bueno.

«Perdona a los que se portan mal.»

Cervatillo era muy caprichoso. Cuando supo la llegada de su prima se enfadó mucho. Era una cervatilla muy simpática y desde el principio todos la colmaban de atenciones.

EL PEQUEÑO GORRIÓN

Un grupo de pájaros andaba revoloteando sin saber qué hacer. Por fin, un gorrión propuso jugar al escondite.

Mientras un canario contaba con los ojos cerrados, sus amigos se escondieron. El gorrión conocía un sitio donde seguro que nadie lo encontraría. Allí se refugió, pero no podía oír las voces de los demás que le llamaban porque se acercaba una tormenta.

Cuando ya el gorrión, extrañado por la tardanza de sus compañeros, salió del escondite vio aterrado que la lluvia era tan fuerte que no podía alejarse de allí. El pequeño gorrión tuvo que pasar la noche solo.

«No debo tener miedo», se decía a sí mismo para darse ánimos. «Debo valerme por mí mismo y saber esperar.»

Cuando amaneció, dejó de llover y apareció el sol sobre el horizonte. El pequeño gorrión se había convertido en un ser fuerte y seguro de sí mismo.

«Las dificultades ayudan a ser valiente.»

LA CIGARRA DESOBEDIENTE

Cigarra se alejaba demasiado de su casa. Su madre le advertía continuamente:

—Anda con cuidado y, sobre todo, procura no alejarte mucho de casa.

Cigarra, sin hacer caso, se alejó una tarde de los lugares conocidos. Le sorprendió la noche y sintió miedo. Tenía hambre y frío. A tientas, Cigarra empezó a volver sobre sus pasos. Tuvo que esconderse de un sinfín de animales que pretendían comérsela. ¡Qué miedo pasó! Cuando llegó a casa, ya había amanecido. Cubierta de barro y aterida de frío, se presentó ante su madre, que estaba muy intranquila. Cigarra le contó todo.

Su madre, conmovida, le preparó un desayuno riquísimo y Cigarra, ya limpia y con el estómago lleno, pudo dormir tranquilamente tras prometer a su madre que seguiría sus consejos.

«Dejaos guiar por la experiencia de vuestros padres y profesores; es la mejor maestra en la vida.»

EL CANTO DEL RUISEÑOR

Un día, se organizó un concurso en el bosque. El que mejor cantase de todos se llevaría un premio. Antes de comenzar, todos sabían quién iba a ser el vencedor.

—Ruiseñor ganará el premio. Canta maravillosamente —aseguró una oveja que también iba a concursar.

—Cierto. ¡Es tan melodioso su trino y tan dulce su acento! —exclamó una perrita.

Un ciervo se acercó al ruiseñor y le pidió:

—Por favor, ven a mi casa, mi hijo está muy enfermo. Si te oye cantar quizá se cure y pueda reir de nuevo.

Ruiseñor, sin dudarlo un instante, renunció al triunfo y fue a casa del ciervo. Cuentan que el cervatillo al oír el canto del ruiseñor quedó curado al instante.

¡Cuánto poder tiene la música!

«Olvídate de los triunfos y ayuda al que lo necesite.»

EL POLLITO MENTIROSO

Pollito no abría el pico más que para decir mentiras. Sus amigos decidieron no volver a hacerle caso nunca más. Pero llegó el cumpleaños de Pollito, que corrió a invitar a sus amigos a su fiesta.

—Os espero a las siete. Sed puntuales, sabéis que no me gustan los retrasos —les pidió a todos.

—Muy bien, iremos —dijeron sus amigos, dispuestos a no hacerle caso, pues creían que les estaba mintiendo. Pollito esperó y esperó... en vano, porque ninguno de los invitados acudió a celebrar su cumpleaños.

«Las mentiras siempre crean desconfianza y las consecuencias son tristes.»

LAS APARIENCIAS

La señora Liebre tenía invitados y quería cocinar un sabroso plato de setas.

—Liebrecita, bonita, anda acércate al bosque y trae este cesto lleno de setas.

Liebrecita, siempre obediente, fue al bosque y, al cabo de un rato, regresó muy contenta. Traía unas setas grandes y hermosas. Su mamá miró las setas y dijo:

—Liebrecita, estas setas tan hermosas y grandes no valen para comerlas. Necesito que traigas unas setas feas y arrugadas. Esas sí valdrán. Ya ves que las apariencias engañan y en todas las cosas hay que buscar el interior, hija. Anda al bosque y recuerda lo que te he dicho.

Liebrecita pensó un buen rato en lo que su madre había dicho. Aunque tardó más tiempo en encontrar las setas comestibles, al final llenó la cesta. Volvió a casa y su madre le preparó una comida riquísima.

«Las apariencias engañan.»

EL PAVO REAL

Había una vez un pavo real que no perdía el tiempo arreglándose el plumaje. Sólo dedicaba algunos minutos diarios a su aseo personal. Decía en público:

—Algunos de mis colegas no dejan de pavonearse, ¿es esa la cualidad más importante de un pavo real?

Un día cayó a un estanque una bella mariposa. El pavo real, que estaba cerca, se lanzó al agua en su ayuda sin pensarlo un momento, pues no había tiempo que perder. Con gran rapidez la puso a salvo, pero él empezó a tener problemas. Su cola, ya empapada, pesaba mucho y le arrastraba al fondo.

Entre tanto, la mariposa fue en busca de ayuda y pronto nuestro buen pavo real estuvo fuera de peligro.

—Lo importante es que nos hemos salvado —le dijo el pavo real a la mariposa.

—Sí, pero tu cola se ha estropeado por mi culpa —replicó ésta, muy entristecida.

—Eso no cuenta, te lo aseguro. Vamos a celebrar nuestro éxito —le tranquilizó.

«Hay que valorar lo que uno posee y no dar importancia a lo que no la tiene.»

EL TORO Y LAS CABRAS

Un toro y tres cabras vivían en un prado vallado. Pasaban el tiempo jugando a las cartas, contando chistes o correteando. Eran muy buenos amigos, pero la envidia vino a destruir su amistad. Pasó por allí un perro vagabundo y dijo al toro:

—No sé cómo vives con esas tres cabras feas y flacas. Eres un toro bravo y de noble cuna. Tu destino es embestir y no andar jugando con tres cabras feas.

El toro, creyendo que el perro tenía razón, dijo a las cabras que se fueran y éstas, confundidas, se marcharon. Pasó el tiempo y el orgulloso toro se sintió solo. Entonces comprendió el error que había cometido. «¿Por qué habré hecho caso a ese perro malvado y envidioso? ¡Disfrutaba tanto con esas cabras! Aunque flacas y feas, eran muy simpáticas y agradables», se decía, entristecido y lleno de melancolía.

Por supuesto, las cabras ya no volvieron, pero el toro había aprendido bien la lección y se propuso no hacer caso jamás a los charlatanes y envidiosos.

«Es maravilloso estar acompañado de buenos amigos.»

1 de junio

LA OVEJA

Ovejita era un ser maravilloso, muy raro de encontrar en el mundo. Dedicaba todo su tiempo a los pobres y a los enfermos. Se desvivía por el prójimo y su mayor placer era llevar la felicidad a los demás.

Como es natural, todos ellos querían disfrutar de su compañía al mismo tiempo, lo cual era imposible, pues ovejita no podía partirse en dos, en diez o en veinte pedazos. ¿Qué se podía hacer para solucionar el problema?

—Ovejita, andas demasiado y tus piernas se resienten. Las tienes delicadas. Mejor será que te reserves un poco, ¿no te parece? ¿O es que deseas quedarte cojita?

Quien así le hablaba era el doctor Jirafa, que sentía un gran cariño por ella, como todo el mundo.

—Lo comprendo, doctor —respondió ella—, pero yo me debo a la gente que necesita mi ayuda. ¡No puedo defraudarles!

El problema se resolvió con rapidez. Todos los vecinos del lugar se reunieron y decidieron por unanimidad comprar a Ovejita una linda motocicleta con la que pudiera ir de un sitio para otro con rapidez y comodidad.

Desde entonces, Ovejita pudo multiplicar por tres el número de sus visitas al día y así pudo hacer felices a muchos más necesitados e incluso a ella misma, pues le gustaba lo que hacía.

«Si haces el bien, recibirás el bien.»

PULPO AVENTURERO

Pulpo se cansó de andar por el mar y quiso explorar la tierra. Con una mochila nadó hacia la playa y, poco a poco, salió del agua.

Al principio notó que no podía respirar bien. Sin embargo, pronto se acostumbró. El sol calentaba mucho y él avanzaba sobre la tierra con gran lentitud. Horas después estaba desfallecido.

—¡Uf! Tengo que encontrar enseguida algo que comer para reponer fuerzas.

Tras mucho buscar por los alrededores, lo único que encontró fueron unas hierbas ásperas y muy malas que eran incomestibles.

Su cansancio y hambre le agotaban. Pronto perdió el sentido y cayó a tierra.

Despertó al notar el frescor del agua salada. ¿Cómo había vuelto al mar? Pulpo comprendió que alguien lo había llevado hasta allí. Un pulpo debe vivir en el mar y nadie puede pretender salirse de su medio natural y del estilo de vida para el cual ha sido creado.

«Cada uno en su ambiente.»

EL FLAMENCO AVARICIOSO

Nunca se había visto un flamenco tan avaricioso. No dejaba ni un momento de trabajar con el fin de acaparar riquezas.

—Hay que trabajar el máximo posible, porque nunca se sabe —decía para justificarse.

—Miradle, va vestido como un mendigo —señalaba doña Liebre—. ¡Todo por no gastar! En efecto, este flamenco, además de guardar sus riquezas, era incapaz de soltar un céntimo. Su aspecto daba lástima. Un día, el flamenco amaneció con un dolor muy fuerte de estómago y no pudo ir a trabajar.

—¡Qué desgracia la mía! —exclamó, temiendo por su futuro—. ¡No puedo trabajar! Bueno, nada de llamar al médico. Cobra muy caras sus visitas. Esperaré a ver si se me pasa.

El flamenco avaricioso fue empeorando más y más. Cuando llamó al médico ya era demasiado tarde. Mientras aguardaba la muerte, comprendió que su avaricia y su tacañería le habían perdido y no eran buenas. Que os sirva de lección, queridos niños.

«La avaricia rompe el saco.»

EL PROFESOR DELFÍN

El profesor Delfín era sabio y tolerante. Creía que el castigo no era conveniente y prefería convencer a sus alumnos de la necesidad de portarse bien y estudiar en serio, pero ellos no le hacían el menor caso.

Las gamberradas en clase iban en aumento. Una tarde, Osito quiso dar un susto a Ardillita. Se levantó de su pupitre y, cuando se aproximaba a su compañera por detrás, tropezó con un armario y éste cayó sobre la cabeza del profesor Delfín. Para sustituirle, llegó el profesor Atún, famoso por su severidad. Castigaba a la clase entera por cualquier motivo.

—¡Al primero que haga alguna trastada lo expulso! —solía amenazar el profesor Atún.

Todos los alumnos echaban de menos al profesor Delfín y le pidieron que cuando sanase volviese con ellos. Antes le prometieron que se portarían bien y estudiarían mucho.

El profesor Delfín volvió a la clase y ésta llegó a convertirse en la más brillante y estudiosa de toda la escuela.

«La tolerancia y el cariño son siempre preferibles al castigo y las amenazas.»

EL RINOCERONTE Y LA GAVIOTA

Un rinoceronte se había hecho muy amigo de las aves. Un buen día llegó a sus dominios una gaviota errante que venía de la costa. Quería conocer mundo y se había adentrado en tierra firme. Al ver al rinoceronte tumbado al sol, lo confundió con una roca y se posó sobre él pues estaba cansada de tanto volar.

Al sentir un leve cosquilleo en su lomo, el rinoceronte se movió inquieto para ver lo que le molestaba. La gaviota, asustada, alzó el vuelo y el rinoceronte le gritó:

—No te preocupes. Anda, ven y cuéntame qué haces aquí —dijo sonriendo.

Y nació una gran amistad entre ambos; pero llegó el mal tiempo y la gaviota tuvo que regresar a la costa. El rinoceronte quedó muy apenado. Se había acostumbrado a su compañía. Sin embargo, se consoló con el recuerdo de los días tan hermosos que habían pasado juntos.

«No es buena la soledad.»

6 de junio

LAS DOS ARAÑAS

Dos arañas llegaron a un jardín al mismo tiempo. Empezaron a discutir sobre cuál de ellas tenía derecho a quedarse allí. Un pajarillo, que había estado atento a la disputa, intervino y les aconsejó:

—Lo mejor es que hagáis cada una vuestra propia tela de araña. La que consiga atrapar más bichos se quedará en el jardín.

Y las arañas se pusieron manos a la obra.

La primera de ellas hacía su tela a toda prisa pero sin fijarse en los detalles y de mala manera. Su compañera trabajaba con calma y hacía una red más pequeña, pero muy densa y resistente. Mientras que la primera terminó enseguida y se burlaba de su rival, ésta no hacía caso y seguía concentrada en su trabajo.

Cuando acabaron sus telas dejaron pasar un tiempo y fueron a ver cuántos bichos habían atrapado. En la primera tela sólo habían caído dos animalitos muy pequeños. En la segunda, catorce. La araña paciente y tranquila había triunfado y podía quedarse en el jardín. La otra, cansada y triste, se alejó de su rival. Comprendía que tenía que haber trabajado con más cuidado y calma. Al menos había aprendido la lección.

«Por tu interés, trabaja siempre bien.»

7 de junio

EL TIGRE DIBUJANTE

Había un tigre que se pasaba todo el día haciendo garabatos aquí y allá. Lo malo es que en el colegio, mientras su profesor explicaba la lección, él no se interesaba por otra cosa que no fuera el dibujo. Enseguida llegaron las malas notas y el enfado del profesor, quien habló con los padres sobre lo poco estudioso que era.

—Sé que te gusta dibujar, pero lo primero es que apruebes el curso. Si lo haces, podrás ir a una academia de dibujo —dijo papá Tigre, sin enfadarse con su hijo.

Éste comprendió que debía obedecer a sus padres en todo lo que le dijesen.

Por supuesto, el tigre dibujante aprobó y su padre cumplió la promesa.

Cuentan que nuestro tigre se ha convertido en un pintor muy famoso.

«Siempre hay que obedecer a los padres.»

LA LEOPARDA JUGUETONA

Leopardita estaba todo el día jugando. Su mamá le decía que tenía que estudiar para ganarse la vida el día de mañana, pero ella no hacía caso.

—Cuando sea mayor me casaré con alguien importante, ¿para qué quiero estudiar? —decía sin querer pensar en el futuro.

Pasó el tiempo. Leopardita se hizo mayor y era una perfecta haragana. Se casó con un apuesto galán muy vanidoso que sólo se ocupaba de lucir un hermoso uniforme y muchas condecoraciones, ignorándola por completo.

¡Pobre Leopardita! Se pasó el resto de su vida sacando brillo a las medallas y planchando uniformes.

«Si estudias tendrás un buen futuro.»

LA HORMIGA TRABAJADORA

Las hormigas suelen ser trabajadoras, pero había una que lo era en exceso.

—Trabaja, pero con moderación. No sea que te dé un soponcio —le decían.

Nadie podía convencer a Hormiga para que trabajase con un poco más de calma. Un día, arrastraba hacia el Almacén General de la Comunidad unas migajas de pan. Empujaba tan afanosamente su carga que se dio de cabeza contra una piedra sin darse cuenta.

Desde entonces, Hormiga no quiso saber nada del trabajo. Siempre que la llamaban para acudir en ayuda de sus compañeras corría a esconderse tras unos matorrales, para que no la vieran.

El jefe del Almacén la llamó a su despacho. Ante la puerta, metió la pata en el cubo de la limpieza y se dio de narices contra el suelo. ¡Un porrazo colosal!

Hormiga comprendió entonces que no debía tener miedo al trabajo porque cualquiera puede lastimarse en un momento dado, dentro o fuera del trabajo. Desde ese día, Hormiga volvió a trabajar y a ser la misma de antes.

«Trabajar con cuidado da muy buenos resultados.»

EL BURRO TRAMPOSO

En un corral vivían juntos un burro, un buey y un cordero. Por la mañana salían los tres a trabajar y por la tarde descansaban en el corral. A los tres les gustaban los juegos de azar, de modo que pasaban las tardes jugando a las cartas o a los dados. El que ganaba dormía en el mejor establo.

El burro era muy tramposo, así que siempre le tocaba a él dormir mejor. Los otros dos sospecharon que les engañaba. Para asegurarse, pintaron una cruz en todas las cartas. Cuando el burro volvió a ganar, le dijeron:

—Enséñanos tus cartas.

De nada le sirvió negarse. Cuando enseñó las cartas, se vio que ninguna de ellas tenía una cruz. O sea, ¡que se las había sacado de la manga! Sus amigos comprobaron que el burro les había engañado. Desde entonces, los tres se turnaban para disfrutar del mejor establo y ya no jugaron más a las cartas.

«Antes se coge al tramposo que al cojo.»

EL SEÑOR Y LA SEÑORA AVESTRUZ

Los domingos el señor Avestruz quiere ver el partido de fútbol, mientras que la señora Avestruz quiere ver la novela. Gritos, platos rotos, amenazas... Los vecinos ya están acostumbrados a esas broncas enormes y todos se ponen tapones en los oídos.

Hoy ha habido suerte. La televisión se ha estropeado y no hay motivo para que el matrimonio se pelee. Ninguno de los dos podrá ver su programa favorito.

—¡Qué tontos hemos sido! ¡Mira que poner en peligro nuestra unión por unos tontos programas! —exclama él, al darse cuenta del motivo por el que peleaban.

—Tienes razón querido. Lo importante es que seamos felices juntos, así que vamos a dejarla como está y nos vamos al campo a merendar. ¿Te parece bien que lo hagamos esta misma tarde? —propone ella.

—¡Buena idea! —exclama su marido.

¡Es tan fácil evitar peleas! Sólo es necesario un poquito de buena voluntad y de atención al otro.

«Sin televisión se acabó el follón.»

EL PELÍCANO LADRÓN

—Métete en mi pico; nadie te descubrirá.

La rana obedeció y, en efecto, no pudo ser descubierta. Pensando, la rana empezó a sospechar acerca del pico del pelícano. Sería un lugar ideal para guardar cosas robadas. Advertidos los demás alumnos por Ranita, vigilaron a Pelícano quien, confiado, seguía robando lo que podía.

Una tarde, después de clase, le siguieron. Acababa de robar unas cuantas cosas. Pelícano cavó con su pico un hoyo y enterró los objetos que había robado. En ese momento sus seguidores se echaron sobre él:

—¡Ya te tenemos! —gritó Ranita.

Así fue como se resolvió el difícil caso del robo del colegio.

«Siempre se descubre al ladrón.»

En clase desaparecían lapiceros, gomas, pinturas, cuadernos... ¿Quién sería el ladrón? Nadie podía encontrar al culpable.

Un día, en el recreo, unos alumnos jugaban al escondite. Ranita buscaba un lugar donde esconderse. Un pelícano le dijo:

LA RATITA BAILARINA

Ratita era una estupenda bailarina, pero se lo tenía muy creído y miraba a sus compañeras de la academia de baile con superioridad. Cierto día, Ratita dio un mal paso de baile, cayó al suelo y se rompió una patita. El médico, tras examinarla, dijo muy triste:

—Lo siento Ratita, no volverás a bailar.

¡Imaginaos su desolación! El baile era toda su vida. ¿Qué haría ahora?

Sus compañeras, conmovidas, se reunieron para encontrar alguna solución. Por fin, decidieron nombrarla su profesora de baile. Así podría enseñar su arte a quienes antes había despreciado.

Ratita, al saberlo, lloró y exclamó:

—¡Perdonadme! ¡He sido tan cruel!

—Todo está olvidado, Ratita. Ahora debes mejorar —le dijo una compañera.

Así fue la mejor profesora de baile de la academia y no volvió a despreciar a nadie.

«Las buenas acciones tienen su recompensa.»

LA OCA PARLANCHINA

Hablar era lo único que hacía doña Oca. Mientras los demás se ocupaban de sus tareas, ella se lanzaba sobre cualquiera y le hablaba con una velocidad endiablada. Llegó un momento en que todos, cuando la veían llegar, corrían a esconderse, pues sabían que, si los cogía doña Oca, tenían después tres días de cama con una jaqueca horrible. Doña Oca era más temida que la peste.

Después de haber sufrido muchas bajas por enfermedad, los miembros de la granja decidieron dar un susto a doña Oca para que se le quitasen las ganas de hablar o, al menos, se contentase con hablar la cuarta parte.

Desde aquel día, doña Oca empezó a recibir, de unos y otros, tremendos sustos de muerte. De este modo, poco a poco fue perdiendo las ganas de hablar y la paz volvió a la granja.

«Si eres un charlatán lo pasarás mal.»

EL CANGURO QUE SALTABA HACIA ATRÁS

Un cangurito tenía una cualidad muy curiosa: saltaba hacia atrás. Por eso se burlaban de él. Cangurito era muy sensible y sufría mucho. El señor Búho, sabio y comprensivo, se acercó y le dijo:

—De nada te va a servir llorar tanto. Si te esfuerzas y practicas un poco, podrás saltar hacia delante como los demás canguros.

Así, Cangurito comprendió que el señor Búho tenía razón y esa misma noche empezó a practicar. Un buen día, en medio del asombro general, Cangurito realizó una auténtica exhibición de saltos hacia delante. Satisfecho y orgulloso, Cangurito empezó a considerarse un canguro normal, aunque en realidad, era superior a los demás, porque, «¿qué otro canguro podía saltar hacia atrás como él?», se preguntaba.

«Todo se supera al final con esfuerzo y constancia.»

16 de junio

EL HIPOPÓTAMO PEREZOSO

Al hipopótamo no le gustaba hacer los deberes que el profesor le mandaba para casa y su madre le decía:

—Hijo mío, has de hacer los deberes.

Pero él no quedaba muy convencido y le contestaba con mucha parsimonia:

—Bueno, mamá, si te empeñas... los haré dentro de un rato.

Así llegaba la noche sin que hubiese hecho los deberes. Al día siguiente se levantaba antes de lo normal y hacía, al menos, una parte, pero lo único que conseguía era llenar cuadernos con garabatos sin sentido y que le pusieran un cero. No hubo forma de convencerle de la necesidad de hacer los deberes. Perdió el curso y tuvo que repetir.

«*Obedece a tus padres, que saben mucho.*»

17 de junio

EL PERRITO MALO

Había una vez un perrito malo que daba tan terribles consejos a sus amigos, que éstos se volvían tan malos como él. A los padres de los otros perritos no les gustaba verlo por allí y no dejaban que sus hijos jugasen con él. El alcalde tuvo que advertir seriamente a Perrito:

—Si continúas dando malos consejos a tus amigos voy a expulsarte de este pueblo.

Perrito no hizo caso y cada día era mayor el número de perros delincuentes.

Finalmente, el alcalde expulsó del pueblo a Perrito. Éste, al verse solo y desamparado, comprendió que tenía que cambiar de conducta si quería llevar una vida honrada y tener amigos. A partir de entonces cambió.

«*A veces, nos hace falta recibir una dura lección.*»

EL TÍMIDO JILGUERO

Este jilguero era muy tímido. Tenía tanto miedo de que se riesen de él, que nunca abría el pico para no emitir ningún sonido.

Un día se posó en su rama un altivo ruiseñor que cantaba muy bien. Al ver que el jilguero no cantaba, el ruiseñor interrumpió su canto y le preguntó:

—¿Qué ocurre, jilguerito? ¿Por qué no cantas y estás tan calladito?

Vergonzoso, el jilguero le confesó sus temores y el ruiseñor le respondió:

—Que cantes bien o mal no es asunto de los demás, sino tuyo. Si no cantas, aunque sea para ti mismo, ni eres jilguero ni eres nada. Debes cantar por encima de todo.

El tímido jilguero se convenció de las razones dadas por el ruiseñor y desde ese momento cantó como sabía y podía, sin que nadie se metiese con él.

«Hay que aprender a utilizar nuestras facultades y capacidades.»

EL REY ENFERMO

Don León, el rey de la selva, no podía comer ni masticar cosa alguna.

El dentista sólo veía una solución.

—Tendrá usted que dejarse arrancar dos colmillos. Los tiene casi destruidos por la caries. Es la única forma de que los dolores desaparezcan.

—¿Cómo?, ¿qué dice usted? Yo soy el rey de la selva. Si pierdo los colmillos, todos me despreciarán y perderé el trono —se quejó don León.

Tan grandes llegaron a ser los dolores, que prefirió renunciar a sus poderes antes que seguir en semejante estado. Los animales de la selva se reunieron para deliberar.

El león siempre había sido bueno y justo, se merecía seguir siendo rey. El único problema era que no podría defender el territorio. Aunque, en realidad, nadie fuera de la selva sabía lo que le había sucedido al rey. Era cuestión de guardar el secreto...

«Siempre es importante guardar un secreto.»

EL OSO BLANCO

En el Polo Norte vivía un oso blanco, grande y fuerte. Poseía un gran territorio en el que ningún otro animal podía poner el pie. Por tanto, estaba en completa soledad. Esto hizo que, con el tiempo, se volviera más huraño.

Un día llegó un pingüino vagabundo. Al verlo, el oso se lanzó contra él, amenazante.

El pingüino logró huir. Al cabo de mucho tiempo regresó al mismo lugar de donde había sido expulsado de forma tan violenta, pero esta vez encontró al oso enfermo. Echado sobre el hielo, era incapaz de moverse. El pingüino, olvidando lo pasado, cuidó al oso moribundo, quien, antes de morir, comprendió que en el mundo hay leyes más importantes que la de la propiedad territorial.

El oso blanco murió en lo más duro del invierno ártico, pero no se fue solo, pues se llevaba consigo el amor desinteresado del pingüino.

«Cuando uno recapacita, sabe en realidad lo que necesita.»

LOS DOS PINGÜINOS

Cerca del Polo Norte vivían dos pingüinos que, sin conocerse, se consideraban enemigos. Cada vez que pasaban uno al lado del otro intercambiaban miradas de odio. Un día, coincidieron en un baile de disfraces. Como llevaban máscara no se reconocieron y empezaron a hablar.

—Este baile de disfraces es muy bonito —dijo uno.

—Sí, vendrían bien unos cuantos bailes de éstos al año —comentó el otro.

Al cabo de algunas horas eran amigos. Cuando, ya terminado el baile, se quitaron las máscaras, descubrieron que ya se conocían. Y se rieron. Les hacía gracia el recuerdo de su absurda enemistad.

«No te hagas enemigo de quien puede ser tu amigo.»

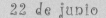

22 de junio

LA LAGARTIJA TESTARUDA

Doña Lagartija es muy testaruda y no hay quien le lleve la contraria.

—¡A mí, tus ideas me tienen sin cuidado! ¡Yo tengo razón, y no se hable más!

Esta mañana, ha salido de paseo con su marido y, andando, andando, se han alejado mucho de su casa. Para volver, él propone ir por la derecha; ella, por llevar la contraria, se va por la izquierda.

Don Lagarto lleva en casa un buen rato mientras su esposa aún no ha llegado. ¡Menudo rodeo que habrá dado!

¡Qué testaruda!

«Hay que pararse a pensar y saber escuchar.»

23 de junio

LOS CABALLOS RIVALES

Había dos caballos de carreras muy buenos, pero existía entre ellos una gran rivalidad. En el establo se miraban con malos ojos y se peleaban continuamente pues cada uno se creía el mejor.

Un día llegó un caballo de carreras nuevo que se llamaba «Veloz». Nada más verlo, se olvidaron de sus problemas. Sabían que el nuevo podría desbancarlos, pues corría mucho más que ellos.

—No importa quién gane. Lo que importa es correr y disfrutar de lo que uno hace —decía «Veloz» a sus compañeros con una sonrisa.

Y cuando ganaba, nunca se enorgullecía de ello. Sus compañeros terminaron comprendiendo que la rivalidad no tiene ningún sentido.

«No te sientas superior por ganar a tus compañeros, no es bueno rivalizar.»

95

EL LEOPARDO PELOTILLA

Un leopardo «pelotilla» se pasaba las horas alabando al profesor Gorila. Leopardo caía mal a sus compañeros y a los profesores del colegio. Su «pelotilleo» era tan insoportable que sus compañeros se pusieron de acuerdo con el profesor Gorila para darle un escarmiento. Una mañana, Leopardo, como era habitual, llegó a clase el primero. Cuando apareció el profesor Gorila sus compañeros no estaban. ¡Qué ocasión! Leopardo fue hacia el profesor y le contó:

—Querido profesor, he visto a media clase jugando al fútbol. ¡Me han dicho que estaban haciendo novillos!

—No consiento que ningún alumno mienta en mi clase. Te castigo toda la semana por acusica y mentiroso. Están jugando al fútbol con mi permiso —dijo el profesor Gorila.

Desde aquel día, Leopardo cambió. No volvió a comportarse como un «pelotilla».

«El pelotilla y acusica no tiene amigos de verdad.»

EL KOALA SUCIO

Lavarse era algo superior a las fuerzas de aquel pequeño koala. Todos lo rechazaban con un gesto de asco por el olor tan desagradable que despedía El pequeño Koala se subía a los árboles más altos deseoso de encontrar un lugar tranquilo. ¡Ni por esas! De vez en cuando se encontraba con algún pájaro muy aseado que, horrorizado, solía arrojarlo de sus dominios a picotazos. Así que, finalmente, tuvo que enfrentarse con su problema.

«¿No es mejor pasar un mal rato por las mañanas y poder disfrutar después de una vida normal el resto del día, a seguir así?», se dijo.

Armándose de valor, se metió en un barreño lleno de agua y jabón. Limpio y perfumado, Koala asombró a sus amigos, que lo recibieron con los brazos abiertos.

Al poco tiempo, a Koala empezó a gustarle lavarse todos los días.

«Si estás limpio y aseado serás bien tratado.»

LA LIEBRE MENDIGA

La liebre mendiga estaba siempre al pie de un viejo árbol. Los vecinos pasaban y le daban limosna. Hasta que un día todos se preguntaron:

«¿Por qué pide limosna si es joven y fuerte? ¿Qué le impide trabajar?».

La liebre no respondía. Estaba claro que no quería trabajar. Al cabo de un tiempo, viendo que ya no podía sobrevivir, decidió buscar un trabajo. Fue de puerta en puerta, pero nadie se atrevía a confiar en ella, pues siempre había sido perezosa.

Por fin, tras muchas calamidades, la liebre pudo ganarse la vida como los demás. Jamás volvería a holgazanear.

«El trabajo da grandes satisfacciones.»

EL VENDEDOR DE BOTONES

Don Mapache era un artista haciendo objetos de adorno usando sólo botones e hilo. Vivía humildemente, pero era feliz.

—Tengo un trabajo que me gusta y gano lo suficiente para vivir con dignidad. ¿Qué más puedo pedir? —decía, sonriente.

Su majestad, el León, quiso regalarle a su esposa algo valioso y original, y ofreció pagar bien a quien le presentase algo digno. Don Mapache hizo un collar maravilloso con botones e hilo. Al presentárselo al rey, éste quedó admirado y colmó de monedas de oro a don Mapache que, con modestia, dijo:

—No necesito riquezas, Majestad. En mi trabajo tengo mi mayor recompensa.

«Trabaja y serás feliz.»

EL ELEFANTE MALVADO

Aquel elefante era el casero más malvado jamás visto. Iba de casa en casa cobrando los alquileres mensuales y, a los que no podían pagar, los echaba de su casa a patadas.

—¡Esos holgazanes no me engañan! Sé que tienen dinero, pero no quieren pagarme —decía enfurecido.

Los animales le temían. Muchos le odiaban, otros le compadecían. Realmente, don Elefante era digno de lástima. Una gran tormenta vino a castigar su maldad. Su casa se derrumbó debido al huracán que se produjo en la región.

—¿Qué haré? ¡No tengo dónde dormir! —exclamaba, lloroso, el miserable.

Por suerte para él, sus vecinos tenían buen corazón y le construyeron una casa nueva. Desde entonces, don Elefante es un casero bueno y cariñoso con todos.

«Las buenas acciones se deben agradecer con humildad.»

EL CACHALOTE

Don Cachalote tenía grandes mansiones en el fondo del mar y se pasaba la vida yendo de una a otra. Contaba con avaricia sus inmensas riquezas y nunca estaba satisfecho. Lo más triste es que cuando algún pobre animal del océano iba a pedirle unas monedas para comer, don Cachalote, ofendido, le respondía:

—¡Qué sería de mí si tuviese que socorrer a miserables como tú, que se pasan la vida sin hacer nada de utilidad! ¡Vaya calamidad!

Un día, don Cachalote quedó varado en un banco de arena. Dado su enorme peso, no podía moverse sin la ayuda de otros animales. Por más que gritó, nadie acudió a socorrerle, en justo castigo a su maldad.

«Lo que sembró ahora lo está cosechando.»

EL LOBO CONDUCTOR

Nunca estamos contentos con lo que tenemos. Ved, si no, el ejemplo de don Lobo, un conductor de autobuses a quien no le gustaba su oficio ni pizca. ¿Resultado? Don Lobo se pasaba buena parte del trayecto chillando y protestando por cosas sin importancia. Hacía pagar a los usuarios su malhumor.

—¡Venga, a ver si suben ustedes de una vez! ¿Es que están dormidos o qué? ¡Ay, señor, menudo oficio el mío!

Naturalmente, los pasajeros se desconcertaban ante la conducta de don Lobo, quien, al final del trayecto, tenía por costumbre tomarse un descanso más largo de lo habitual. A veces llegaba a pasarse media hora recostado sobre un árbol que estaba junto a la parada, lo que representaba una gran pérdida de tiempo para centenares de animales que iban a trabajar con la hora pegada al lomo y acababan llegando tarde.

Numerosas protestas contra don Lobo se recibieron en la empresa propietaria de la línea de autobuses. El irritable conductor fue amonestado en varias ocasiones, pero, como no hacía el menor caso, finalmente fue relevado de su puesto.

El Ayuntamiento, a cuya plantilla pertenecía don Lobo, dedicó a éste a las tareas de barrendero.

Don Lobo notó el cambio. Por vez primera comprendía que hay oficios más desagradecidos que el de conducir autobuses.

—¡Oh, qué pesadilla! ¡He perdido mi antiguo empleo! ¡Si pudiera volver a sentarme en ese cómodo sillón del autobús y seguir conduciendo...! —se lamentaba don Lobo.

Era demasiado tarde para arrepentirse. Por fortuna, don Lobo pudo obtener otro empleo conduciendo un autobús y ya nunca más volvió a protestar contra su oficio de conductor. ¿Qué hace ahora? Bueno, me han dicho el otro día que conduce microbuses. ¡Si vieseis con qué alegría lo trabaja!

«Agradece lo que tienes.»

12

MAMÁ RATITA

Mamá Ratita era buena y trabajadora. Sus hijos y su marido la querían muchísimo. Sin embargo, era muy mala cocinera.

Era muy raro el día que no rompía un plato o que no se le quemaba el guiso. Podía darse con un canto en los dientes las veces que se acordaba de echar sal a la comida.

Una vez confundió el azúcar con la sal. Era el cumpleaños de su hijito pequeño y decidió preparar una tarta. Estuvo toda la mañana en la cocina preparando el bizcocho, la nata y la crema para el relleno. Pero, cuando fueron a probarla, la tarta estaba... ¡salada! Aquello desanimó a Ratita.

—¡Oh, qué mala cocinera soy! —se lamentaba al ver a su marido, don Ratón, entrar por la puerta. Él se esforzaba por consolarla, pero era inútil.

Don Ratón tomó una decisión. Contrató a una cocinera y se llevó a su esposa a la oficina, donde se puso a trabajar como informática. Al cabo de poco tiempo, Mamá Ratita era la mejor informática de la oficina.

El trabajo de la oficina se le daba realmente de maravilla, tanto que el negocio del matrimonio Ratón comenzó a crecer y crecer. El éxito en la vida reside en saber reconocer las aptitudes y virtudes que tenemos.

«Siempre tiene alguna habilidad el que quiere trabajar.»

JIM, EL CURIOSO

«Cric, ñam, pom, croc.» Jim, perro serio y celoso de su deber, se dirigió al lugar de donde procedían los ruidos. Avanzó entre cajas y paquetes hasta que descubrió a un grupo de ratones que se estaban dando un gran banquete. Cuando avanzaba hacia ellos, una de sus patas fue apresada por un misterioso objeto. ¡Una trampa para ratones! Jim se revolcaba por el suelo intentando liberarse. Todo era en vano. Los ratones al verle en esta situación se rieron.

—¡Mirad! ¡El cazador cazado! —exclamó uno de ellos asombrado.

Después de divertirse un buen rato, los ratones, que en el fondo no eran tan malos, ayudaron con precaución al perrito a liberarse del cepo.

Ahora Jim tendrá que ir con mucho cuidado si no quiere que esta situación se repita y volver a pasar por tan mal trago.

«La curiosidad a veces es peligrosa.»

FANTASÍA

Érase una vez un perro soñador que se pasaba todo el día dando vueltas a su imaginación. Andaba siempre por la calle con gesto ausente.

«¡De mayor seré astronauta!», pensaba. «¡Recorreré los planetas e iré hacia las estrellas!» Con frecuencia cambiaba su futura profesión.

—¡Ah! ¡Qué emoción pilotar un avión! ¡Cuando sea mayor seré aviador!

Soñando, soñando, el perro se hizo mayor y no pudo ser nada de lo que había soñado. Para lograr algo le habría hecho falta estudiar, pero había perdido sus mejores años en fantasías. Amigos, bien están los sueños, pero sin despegar los pies del suelo, porque la realidad hay que vivirla.

«Los sueños se consiguen con esfuerzo.»

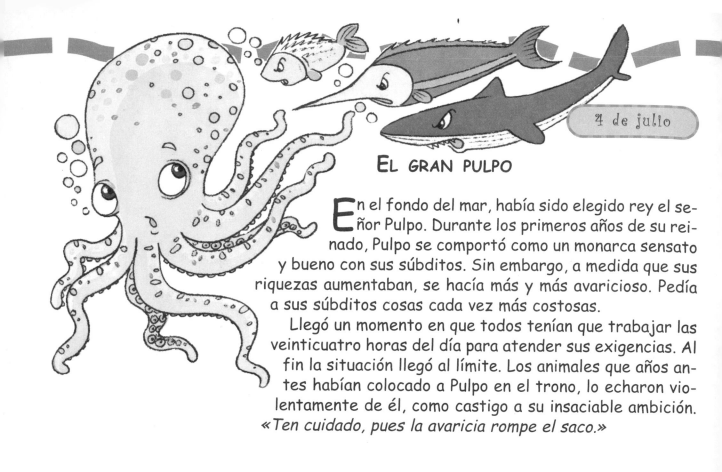

4 de julio

EL GRAN PULPO

En el fondo del mar, había sido elegido rey el señor Pulpo. Durante los primeros años de su reinado, Pulpo se comportó como un monarca sensato y bueno con sus súbditos. Sin embargo, a medida que sus riquezas aumentaban, se hacía más y más avaricioso. Pedía a sus súbditos cosas cada vez más costosas.

Llegó un momento en que todos tenían que trabajar las veinticuatro horas del día para atender sus exigencias. Al fin la situación llegó al límite. Los animales que años antes habían colocado a Pulpo en el trono, lo echaron violentamente de él, como castigo a su insaciable ambición. *«Ten cuidado, pues la avaricia rompe el saco.»*

5 de julio

EL OSITO Y LA MIEL

A Osín le volvía loco la miel, la comería a todas horas. Por esta razón se pasaba el día entero metiendo las narices en las colmenas, a pesar de que su mamá no dejaba de advertirle:

—No te metas donde no te llaman, que un día te vas a ganar un buen picotazo.

Osín no hacía caso y seguía curioseando de colmena en colmena comiendo enormes cantidades de miel. Las abejas estaban hartas de su actitud y decidieron darle un escarmiento. Un día le dieron un fuerte picotazo en las narices... y Osín salió corriendo hacia su casa.

Se pasó dos días en la cama con fortísimos dolores de nariz, a causa del picotazo.

—Ya te lo había advertido —dijo su madre.

Donde las palabras no llegan, siempre lo hace un buen picotazo.

«No hagas el oso por ser goloso.»

LA TORTUGA Y EL CARACOL

Ya sabéis que tanto la tortuga como el caracol llevan la casa a cuestas, es decir, tienen un caparazón en el que se meten cuando llueve o hace frío. Es una gran ventaja, pero también un grave inconveniente debido al peso que han de soportar y la consiguiente lentitud de sus movimientos.

Sin embargo, en este bosque viven una tortuga y un caracol con gran olfato comercial. Deseosos de ganarse la vida sin gran esfuerzo, decidieron un día alquilar sus respectivos caparazones a todo animalito que quisiera resguardarse del mal tiempo y no pudiera regresar a su casa con la necesaria rapidez.

Tuvieron un gran éxito. Por unas pocas monedas, otros bichitos tienen dónde protegerse de un aguacero.

«Hay que tener sentido práctico.»

DON CERDO Y DON LOBO

Don Cerdo y don Lobo eran buenos amigos desde hacía tiempo. Pero, mientras don Cerdo era pobre y bondadoso, don Lobo nadaba en dinero y tenía mal genio. Los animales jóvenes preferían la compañía de don Cerdo y esto hacía sufrir mucho a don Lobo, pues también quería a los pequeños.

«¿Por qué le querrán a él más que a mí?», se preguntaba, entristecido. Al fin comprendió que todo se debía a su carácter huraño y al mal uso que hacía de su riqueza.

Desde ese momento, don Lobo dio todo su dinero a los jóvenes animales y les construyó muchos parques para que jugaran y se divirtieran. Los animalillos empezaron a quererle tanto como a don Cerdo.

Ahora todos se divierten: don Cerdo y don Lobo se tiran por el tobogán y se montan en el columpio, y los pequeños tienen a los dos para jugar.

«Estarás contento en la mesa, si con los demás repartes tu riqueza.»

103

EL GRANDULLÓN DE LA SELVA

La situación iba de mal en peor, así que se convocó una reunión para tomar medidas.

Pronto se llegó a un acuerdo. Era preciso excavar un gran hoyo en medio de la selva y cubrirlo con ramas secas para que el león cayera en la trampa y no saliera de allí.

Días después se oyeron unos rugidos. Era el león, que se había caído en el hoyo y pedía ayuda para salir. Todos se rieron mucho al ver la cara de susto del león. Al final, le ayudaron a salir después de prometer que no volvería a asustar a nadie.

«El que sin pensar asusta a los demás no será feliz jamás.»

Había un león tan grande y tan malo que sólo se divertía asustando a los demás animales. Como podéis suponer, todo el mundo estaba aterrorizado y nadie se atrevía a salir de su casa.

LA CABRA Y EL CABALLO

En un establo vivían un caballo y una cabra. Al primero lo sacaban a pastar por la mañana temprano a un prado cuya hierba era muy buena. La cabra, como era considerada menos valiosa, iba a pastar a un prado con peor hierba.

El caballo solía decir a la cabra:

—Yo sería incapaz de comer una hierba como la que comes tú. Por fortuna, yo soy un caballo y tú una simple cabra.

Un día metieron en el establo a un caballo joven y fuerte. Desde entonces, los mejores bocados fueron para él. El caballo viejo tuvo que irse con la cabra a mordisquear la hierba que tanto despreciaba.

«Nunca digas de esta agua no beberé.»

EL PEQUEÑO DELFÍN

Flit salió a pasear después de cenar. Sacó la cabeza del agua y vio que la luna brillaba en el firmamento y, alrededor de ella, millares de estrellas.

Flit se quedó tan absorto mirando el cielo estrellado que perdió la noción del tiempo. Su madre, intranquila, salió en su busca y no tardó en encontrarle extasiado y con el hocico fuera del agua.

—¿Podré venir todas las noches a ver la luna y las estrellas? —preguntó Flit.

Su madre, muy contenta, le respondió:

—¡Claro que sí! Vendremos juntos, pero ya es muy tarde y mañana tienes que madrugar para ir a la escuela.

Desde entonces, madre e hijo se han hecho grandes aficionados a la astronomía.

«Primero se debe estudiar, para después pensar y observar.»

DOS ARDILLAS BUENAS

Ardillita y Ardillina se disponían a salir de casa para ir a una fiesta, pero apareció el doctor Sapo y, preocupado, les dijo:

—Vuestra madre está enferma y necesita que la ayudéis. ¿Lo vais a hacer?

—¡Naturalmente! —dijeron las dos.

Ambas sintieron un poco de pena, pues veían que iban a quedarse sin la fiesta, pero trabajaron con mucha voluntad porque eran muy buenas hijas. Prepararon la comida para su madre e hicieron todas las faenas.

Al día siguiente, el doctor encontró a la madre de Ardillita y Ardillina mucho mejor, pues había descansado mucho gracias a sus hijas. Casi se había curado del todo y quería levantarse de la cama. El doctor Sapo las invitó a ir al circo por la tarde.

«Si te necesitan tus padres deja las fiestas aparte.»

MAMÁ OCA

Mamá Oca se levanta la primera, prepara el desayuno de sus hijos y los lleva al colegio.

Cuando vuelve a casa hace las faenas del hogar y, por último, prepara la comida. Siempre está de buen humor, cuenta chistes a sus hijos y juega con ellos, pues le encanta lo que hace.

Pero hoy Mamá Oca se ha despertado con un fuerte dolor de cabeza. Sus hijos la han obligado a quedarse en la cama y están muy tristes, pues la ven muy enferma. El doctor opina que Mamá Oca se curará porque es fuerte y animosa. Ella misma desde la cama dirige todas las faenas domésticas, que ellos realizan con alegría.

«Ayudar a tus padres te hará feliz.»

EL POLLITO COPIÓN

Pollín, en lugar de hacer los deberes y estudiar, pasaba el tiempo jugando, y luego, siempre copiaba el examen a algún compañero.

Un día, el profesor se dio cuenta y se puso de acuerdo con el primero de la clase para prepararle una trampa.

Al poner el siguiente examen, el profesor sentó a Pollín junto a su cómplice y dictó los ejercicios. De acuerdo con el plan previsto, el compañero de Pollín empezó a escribir disparates y Pollín, que no se fijaba en lo que copiaba, puso lo mismo.

El profesor colocó el examen de Pollín en la puerta de la clase para que todos lo vieran. ¡Qué vergüenza tan enorme pasó! Desde aquel día no ha vuelto a copiar, ya sabe que es una cosa tonta e inútil.

«Si copias, no entiendes; pero si estudias, aprendes.»

TOM Y MICIFUZ, DETECTIVES

Tom y Micifuz trabajaban como detectives, pero ¡era tan diferente su forma de hacer las cosas...! Mientras el gato Micifuz atrapaba a los ladrones con actos violentos y los metía en la cárcel a golpes y sin dejarles hablar, el perro Tom detenía a los cacos con delicadeza y les preguntaba por qué robaban. Éstos, casi siempre, lo hacían porque no tenían trabajo. Entonces, Tom, muy comprensivo, les ayudaba a salir del bache con la condición de que no volviesen a robar.

La cárcel de Micifuz siempre estaba llena de ladrones, casi siempre los mismos, que, una vez en libertad, volvían a robar. En cambio, la cárcel de Tom estaba casi vacía y era raro que un caco apresado por él volviera a robar, pues ya tenía en qué trabajar.

¿Veis cómo la violencia no tiene ningún valor? Es importante saber que las cosas siempre ocurren por alguna causa.

«De nada sirve castigar si no combatimos la causa.»

LA CONEJITA COMPLEJOS

La conejita Complejos siempre se encontraba defectos y se lamentaba por ello.

—Soy la más fea y, por si fuera poco, siempre meto la pata —decía.

—Tú no eres fea —le contestaba su amiga Ardilla con buen corazón.

—¡Te aseguro que no metes la pata más que las demás! —le decía su amiga Castora.

—¡Ay! ¡Cuánto os agradezco que penséis así! —contestaba triste la conejita.

Así un día y otro. Sus amigas tenían mucha paciencia y seguían intentando quitarle sus complejos.

Un día se celebró una fiesta a la que asistió la conejita. Muy animada por la música, se olvidó de sus complejos. Empezó a comportarse como las demás y de ese modo comprendió que no era ni fea ni hermosa, sino mitad y mitad, como casi todas sus amigas. Después de la fiesta, la conejita Complejos tuvo que cambiar de nombre: no le quedaba ni un solo complejo.

«Acepta cómo eres y vivirás feliz.»

EL RUISEÑOR DE LAS CUMBRES

—**C**anto para los demás, pero también para mí —decía un ruiseñor—. Quien quiera escucharme es libre de hacerlo.

Un águila se pasaba los días volando alrededor del árbol ocupado por el ruiseñor para llamar su atención, pero el ruiseñor no le hacía caso alguno, le ignoraba por completo. Entonces el águila, muy triste, se fue a una montaña lejana y no quiso volver a verle.

—No estábamos hechos el uno para el otro —comentó el ruiseñor—. Pertenecíamos a especies diferentes. Y cantó en honor del águila tres días seguidos porque era lo único que podía hacer por ella.

«Ser amigos siempre es posible.»

EL CONEJO DORMILÓN

Conejito era un gran dormilón que sólo se levantaba para comer. No trabajaba y cada día estaba más gordo. Llegó un momento en que había que ayudarle a levantarse de la cama, pues por sí solo era incapaz de hacerlo.

«¡Qué grasiento y repelente está!», pensaba Conejita al verle ante la puerta de su casa mientras él la contemplaba mudo de asombro ante su belleza.

Se había enamorado perdidamente de la dama. Cuando Conejito quiso acercarse a ella, ésta se alejó corriendo.

Conejito perdió el sueño y comprendió que la vida era algo más que comer y dormir. Al mirarse en el espejo comprobó lo feo y gordo que estaba. Desde ese momento, Conejito se hizo el firme propósito de buscar trabajo, hacer gimnasia para adelgazar y dormir sólo lo necesario.

Quizá más adelante Conejita cambie de opinión. De momento, Conejito tiene que recuperar el tiempo perdido.

«Si eres un vago, es difícil que te aprecien.»

RECUERDOS

Don León había dejado de ser el rey de la selva por razones de edad, pues ya era un anciano. Cuando se retiró, dejó un buen recuerdo entre sus súbditos.

Pero añoraba el pasado y de nada servían las visitas que le hacían los amigos.

—No se ponga así, don León —le decía un león joven—. Usted siempre será alguien importante pues reinó con justicia.

Don León comprendió que hay que vivir el presente. De nada vale buscar consuelo en los recuerdos pues la vejez es tan bonita como la juventud. Todo depende de nuestra actitud hacia ella.

«Llegar a viejo produce gran satisfacción.»

EL MONO COTILLÓN

El mono cotillón, aprovechando la ausencia de los alumnos, revolvía pupitres y carteras para enterarse de todo.

—Yo creo que lo mejor es darle un escarmiento —dijo uno un día.

—Sí, ¿pero cómo lo hacemos? —respondió otro, que no veía solución.

—Conozco una pintura especial de color blanco que no se quita con nada. Ponemos una cajita llena de dicha pintura en algún pupitre y, cuando meta los morros, se pringará —sugirió Micifuz, un gatito muy inteligente.

El mono cotillón siguió con su costumbre, hasta que un día descubrió una misteriosa caja blanca. Picado por la curiosidad, metió los morros en ella para ver qué escondía y se quedó pringado.

«Es de mala educación ser un curiosón.»

EL FABRICANTE DE MEDICINAS

Don Elefante había montado un laboratorio en el sótano de su casa y experimentaba sin cesar con nuevas sustancias químicas, pues deseaba terminar con las enfermedades.

Cuando llegó a viejo, casi no había enfermedad que no pudiera curar. Un día comprendió que su muerte se acercaba y tomó las debidas precauciones.

—Toma, Felisín —dijo a su ayudante—, éstas son las fórmulas para seguir fabricando, suponiendo que quieras seguir con mi labor.

—¡No faltaba más, don Elefante! Hasta que me muera seguiré haciendo lo que usted, curar al enfermo y consolar al triste —respondió Felisín muy satisfecho con sus palabras.

Don Elefante murió dulcemente, pero su recuerdo permanecerá vivo, ya que quien hace el bien se asegura la inmortalidad y el amor de todos los que le conocieron.

«Haz el bien y no mires a quién.»

EL LOBITO DESORDENADO

Lobito tenía un defecto: era muy desordenado, su habitación era un caos.

—Lobito, ¿por qué no te fijas dónde pones las cosas? —le decía su padre.

—Yo pongo todo en su sitio, pero ¿qué quieres que le haga si se me olvida dónde lo he puesto? —se justificaba Lobito con mucha sinceridad.

—Este balón es el último que te compro. Si lo pierdes, no tendrás otro nunca más. ¿Entendido? —le dijo Papá Lobo un día.

Como siempre, Lobito volvió a perder el balón. Su padre cumplió su promesa y Lobito se convenció de que sólo pueden comprarse cosas que van a ser bien tratadas y cuidadas.

«Ser ordenado tiene su recompensa.»

LAS MARIQUITAS Y EL SALTAMONTES

Saltamontes avanzaba penosamente sobre la nieve. Hacía mucho frío y necesitaba encontrar un refugio para no morir congelado. Víctima del frío y del agotamiento cayó inconsciente sobre la nieve.

Por fortuna, dos mariquitas pasaban por allí y se lo llevaron a su casa. Con buena comida y té caliente pronto se repuso. Cuando llegó la primavera, les agradeció su hospitalidad y se marchó.

En el invierno siguiente, una hija de las mariquitas se perdió en lo más profundo del bosque. Saltamontes, que lo conocía palmo a palmo, siguió las huellas de la pequeña y no tardó en encontrarla.

«¡Qué formidable es la cooperación!»

LA CODICIA

Había una vez un perro al que le gustaba viajar solo. En una ocasión llevaba tres días caminando sin descansar y la lluvia lo había empapado. Llegó a una posada y, como estaba muy cansado, se echó en el suelo junto a la chimenea y se durmió.

En esto llegaron unos ladrones que se pusieron a cantar y a dar gritos despertando a todo el mundo con su jaleo.

Al perro se le ocurrió una idea:

—¡Qué mala suerte he tenido! —dijo con gesto apenado—, por el camino he perdido ocho monedas de oro. Soy tonto.

Se hizo el silencio. Los ladrones se fueron y salieron al camino a buscar las monedas. Se habían creído la historia. Así, gracias a su ingenio y habilidad, el perro pudo dormir con toda tranquilidad.

«Más vale tener ingenio que ser gracioso.»

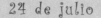

24 de julio

LA JIRAFA

Doña Jirafa tenía muchas amigas y le gustaba hablar con ellas largo rato. Pero sus amigas tenían que mirar hacia arriba para hablar con ella y acababan con un gran dolor de cuello. Como a todas les gustaba hablar con doña Jirafa, decidieron reunirse para solucionar el problema, pues no querían perder su amistad.

Doña Gata propuso hacer en la plaza una tribuna a la que se subirían las demás. Así, cuando doña Jirafa hablara, las demás no tendrían que hablarla mirando hacia arriba. A todos les pareció muy buena idea.

«El ingenio no tiene precio.»

25 de julio

DON OSO PANDA

Don Oso Panda siempre se levantaba a la misma hora con gran precisión y pasaba por delante de la casa de doña Coneja y le daba los buenos días. Era una rutina.

Era la señal para que ella despertase a sus hijos. Pero un día un zorro malo entró en casa de don Oso Panda y le estropeó su despertador. Fue inútil. Don Oso Panda siempre se guiaba por la claridad del sol para despertarse, así que no necesitaba despertadores.

Al día siguiente, don Oso Panda no tuvo problema para levantarse a la hora exacta. El malvado zorro quedó chasqueado.

«Al que fastidia luego le humillan.»

DON CORDERO

Los vecinos del pueblo han decidido construir una casita para que en ella jueguen los cachorros. Don Cordero, que siempre quiere hacerlo todo, manda lo que hay que poner y hacer, sin consultar a nadie:

—La casa ha de ser así, el tejado tiene que ser de esta forma, los muros de esta otra...

Las obras no marchan a gusto de todos y la comisión dice a don Cordero:

—Agradecemos mucho el interés que pone y las molestias que se toma, pero a partir de ahora, don Cerdo llevará la dirección y usted sólo se ocupará del tejado.

Don Cordero se aleja refunfuñando y se encierra en casa cuatro días, pues no entiende qué ocurre. Allí piensa y comprende que no es bueno querer acapararlo todo.

«Quien piensa que lo sabe todo es que no sabe nada.»

EL LEOPARDO BORRACHÍN

Papá Leopardo se pasaba el día bebiendo, no agua ¡sino vino! Bebía tanto que todos se daban cuenta.

Los animales nocturnos lo veían pasar con luna o sin ella, dando traspiés, camino de su casa, borracho como una cuba. ¡Triste vicio el suyo!

Su esposa se enfadaba con él a causa de su conducta cuando llegaba a altas horas de la noche.

Las disputas eran continuas y los hijos se avergonzaban de su padre, pues nunca estaba sereno.

Aparte de este defecto, don Leopardo era muy simpático, de modo que tenía muchos amigos. Entre todos se esforzaron por apartarlo del vicio.

No lo han conseguido del todo, pero don Leopardo se ha hecho el firme propósito de dejar la bebida.

«Todos los vicios son malos y el de beber es muy amargo.»

LAS VACACIONES DE LA FAMILIA CAMELLO

28 de julio

La familia Camello espera las vacaciones con mucha ilusión: ¡se van al desierto!

Comienzan los preparativos para la gran aventura y unos días después la familia Camello se pone en marcha. De repente, don Camello tropieza con el cuerpo de un chimpancé medio enterrado en la arena.

—¡Está desmayado! Debe de haberse perdido. ¡Qué lejos está de su casa! —exclamó el camello muy preocupado por lo que veía.

La familia Camello decide volver enseguida, pues el chimpancé está deshidratado y puede morirse. Ya en casa, la familia Camello se desvive cuidando al chimpancé, quien, tras unos días con fiebre, parece que se recupera. Quedan dos semanas de vacaciones y deciden irse a la playa. El año que viene irán al desierto. Al menos han ayudado al chimpancé.

«Si unas buenas vacaciones quieres pasar, no importa el lugar.»

29 de julio

EL TIBURÓN

Tiburón hizo la carrera de Turismo con buenas notas y obtuvo un empleo como guía turístico. Su trabajo consistía en enseñar el mar a peces venidos de muy lejos. Tiburón sabía dónde encontrar en el fondo del mar restos de barcos hundidos, ánforas, monedas de oro y plata... El último día de cada mes, su jefe le pagaba el sueldo. Pero Tiburón era un derrochador y a los pocos días de haber cobrado ya no le quedaba ni un céntimo. Un día, sus padres tuvieron apuros económicos y le pidieron dinero prestado. Tiburón, avergonzado, confesó que no le quedaba ni un céntimo. Tanta rabia le dio el disgusto causado a sus padres que, a partir del mes siguiente, Tiburón administró su sueldo con gran cuidado.

«Tu sueldo no debes malgastar, algún día lo podrás necesitar.»

EL GRAN CONJUNTO

Cuando el gran conjunto ensayaba, un estrépito infernal amenazaba echar abajo el barrio entero. Los cristales se rompían y en las casas cercanas no quedaba casi nada en pie del ruido que hacían.

Los vecinos se quejaron al alcalde, quien, comprensivo y sensato, comunicó al grupo que no podía seguir tocando en pleno casco urbano. Pero les anunció que si aprobaban habilitaría un local fuera del pueblo para que tocaran allí. Aceptaron el trato. En los exámenes, todos sacaron sobresalientes y notables, y pudieron seguir tocando.

«La voluntad lo puede todo.»

EL PEQUEÑO TIGRE

Doña Tigresa intentó llevar a Tigrín al colegio y el pequeño organizó un escándalo enorme. Muy preocupada, consultó el problema con su amiga doña Zorra.

—Yo lo arreglo —dijo ésta muy resuelta—. Mañana, a la hora de ir al colegio lo dejas jugando delante de casa. Del resto me encargo yo.

A la mañana siguiente Tigrín se quedó jugando tranquilamente en el jardín. Creía que ya nunca más volvería a la odiada escuela. Doña Zorra, disfrazada de bruja, se echó sobre él y lo metió en un saco.

—Conque no quieres ir al colegio como tus hermanos, ¿eh? ¡Pues voy a comerte!

—¡No, por favor, doña Bruja, no me coma! Yo le prometo que desde mañana iré solito a clase, sin que nadie me obligue —imploró, de rodillas, Tigrín con gesto de espanto.

Y desde el día siguiente, Tigrín iba a la escuela antes que los demás, sin que nadie le acompañara.

«El que se porta mal en algún momento tiene su escarmiento.»

EL ALACRÁN

Alacrán vivía en una ciudad enorme donde apenas había animalitos que comer, pues casi todo era asfalto.

Se pasaba el día trepando por las paredes de las casas en busca de comida o algo que llevarse a la boca.

«¡Qué triste vida la mía! ¿Por qué no habré nacido en un pedregal junto a un río o en la falda de una montaña? Cualquier lugar habría sido mejor que ésta fría e inhóspita ciudad.»

Sin embargo, un buen día le cambió la suerte. Sin saber cómo fue a parar al interior de una mochila.

Durante un tiempo sintió que todo se movía a su alrededor.

Después, la mochila dejó de moverse.

Alacrán sacó su cabeza y vio ante él uno de esos magníficos pedregales con los que siempre había soñado. Se lanzó fuera y corriendo llegó a las piedras más cercanas. ¡Por fin se habían hecho realidad sus fantasías! A su alrededor había flores, árboles y un montón de animalitos.

«A veces tenemos suerte y los sueños se hacen realidad.»

LA MARIPOSA PRESUMIDA

Mariposilla no tenía amigas, pues se burlaba de las que se acercaban a ella por ser feas.

—Sí, Mariposilla, eres hermosa, pero no usas esta cualidad como debieras. Al final, si no cambias de actitud te destruirá —le previno un sapo sabio.

Aunque Mariposilla no hizo caso, se apoderó de ella una ligera inquietud. Respetaba a ese sabio y temía que tuviera razón, pero consiguió alejar esos pensamientos de su mente y siguió como siempre.

Un día, la profecía se cumplió. Un niño muy listo la sorprendió con su cazamariposas y se apoderó de ella. ¡Qué triste es ver a Mariposilla atravesada por un alfiler y añadida a la colección del muchacho!

«Al final, cada uno tiene lo que realmente se merece.»

EL COLECCIONISTA DE GLOBOS

Mandrilín vio a doña Flamenca que sostenía un montón de globos con su mano derecha mientras arreglaba el puesto con la izquierda.

Con aire inocente se acercó a doña Flamenca precavido y con delicadeza le dijo:

—Su hijo se ha caído de la cuna y está llorando. Lo he visto al pasar por delante de su casa.

—¡Mi bebé! —exclamó doña Flamenca, mientras dejaba los globos en manos de Mandrilín y echaba a correr hacia su casa.

Mandrilín, que pesaba la quinta parte que doña Flamenca, empezó a volar. Subió hacia las nubes y, al cabo de un rato, se perdió en las alturas, volando por el cielo.

Aún debe de estar Mandrilín dando vueltas al mundo. Seguro que está pensando: «Si algún día puedo bajar a tierra, no volveré a hacer ninguna trastada».

«Piensa antes de hablar.»

4 de agosto

LA CIUDAD DE LOS CONEJOS

nuevos artistas, que se encargaban de decorar los huevos de Pascua con adornos de conejos, fuentes, palacios de cristal y chocolate y cualquier cosa que imaginen.

Hoy día, sus descendientes siguen pintando y decorando huevos de Pascua de todos los colores y tamaños. Como hay tantos niños deseosos de comer huevos de Pascua y es imposible pintar tantos, han tenido que hacerlo en fábricas enormes. Como imaginaréis, estas fábricas tienen forma de huevo de Pascua y huelen deliciosamente a chocolate y azúcar quemado..

«Haciendo las cosas bien resulta bastante fácil progresar.»

«El Abuelo» era un afamado artista que se dedicaba a pintar huevos de Pascua. A medida que crecía el número de nietos, bisnietos y tataranietos iba creando

5 de agosto

EL CABRITO LISTO

Un cabrito vendía pasteles. Cada mañana colocaba su tenderete en el bosque. Un día de invierno se acercó un lobo de aspecto feroz y le amenazó:

—¡Tengo un hambre horrible! ¡Dame ahora todos esos pasteles o te comeré!

El cabrito tuvo que complacer al lobo. A partir de entonces, todos los días iba a comerse los pasteles del tenderete.

«¿Qué puedo hacer?», pensaba.

Un día hizo pasteles con pimienta y unos pedruscos dentro. A la mañana siguiente, el lobo se comió su ración.

—¡Aaaag! ¡Parece que he comido brasas y el hígado se me rompe! —exclamó.

Desde entonces, sólo pudo comer papillas. El cabrito siguió adelante con su negocio y no volvió a ser molestado.

«Si engañas y eres prepotente, algún día lo pagarás con creces.»

BONGO

Bongo era un osezno chiquitín y muy gracioso. Trabajaba como acróbata en un circo ambulante y, sin duda, era la estrella de la compañía..

¡Qué bonito era ver cómo se encendían los focos brillantes del circo! Bongo hacía equilibrios sobre la cuerda floja en lo alto de la carpa. ¡Cómo le aplaudían todos! Era como un sueño hecho realidad.

Después de su artístico trabajo, cada tarde Bongo era encerrado de nuevo en la jaula que le servía de vivienda.

Un día, viajaban en tren y Bongo contemplaba el bosque con el hocico pegado a los barrotes de su jaula.

De repente, obedeciendo a un impulso, rompió los delgados barrotes y, sin vacilar, saltó desde el tren. Al fin había escapada. ¡Bongo, bienvenido a la libertad!

«Sin libertad no hay felicidad.»

BONGO Y LULABELLA

Bongo se había escapado del circo donde trabajaba. Corrió durante mucho tiempo, hasta sentirse completamente a salvo. Fue recibido por sus amigos con entusiasmo y se celebró una gran fiesta en su honor. ¡Qué alegría estar con los suyos! Sin embargo, aquella noche tuvo que dormir sobre la hierba mojada por la lluvia y añoraba la paja seca de la jaula del circo.

—Bienvenido a tu hogar, Bongo. Soy Lulabella, el hada del bosque. Al principio te costará acostumbrarte a esta vida, pero puedes lograrlo. ¿No dices nada? ¡Hasta la vista, Bongo! Si me necesitas, llámame.

Bongo se acostumbró a su nueva vida. Se sintió protegido por su hada madrina y al fin está contento.

«Los deseos a veces se cumplen.»

8 de agosto

EL PUMA Y EL CUERVO

ra un puma único en las montañas por su fiereza. Atacaba a todo lo que se movía y nunca quedaba satisfecho.

Con el paso del tiempo empezó a estar viejo. Ya no veía ni oía bien. «¿Qué puedo hacer?», pensaba angustiado.

Decidió hacer un pacto con un cuervo. A cambio de una parte de su comida, le avisaría cuando algún animal estuviese cerca.

Todo marchó bien durante un tiempo, pero el puma era avaricioso y cada vez daba menos comida al cuervo. Así que éste, un día, no aguantó más y no le avisó cuando llegaba un cazador, que lo cazó sin problemas.

¡Más le hubiera valido al puma no ser tan egoísta y pensar algo en los demás!

«El egoísta siempre acaba mal.»

9 de agosto

LOS AMIGOS

n mapache y un turón se hicieron grandes amigos durante un viaje a un lejano rincón del mundo. Durante esos días disfrutaron de todo lo que se les ofrecía.

De vuelta a sus respectivos países, ambos amigos se escribían diariamente contándose sus aventuras e intercambiando bonitos recuerdos de sus añoradas vacaciones. Pasaba el tiempo, pero la amistad entre el mapache y el turón, en vez de debilitarse, se hacía cada vez más fuerte. Tanto fue así que Ardillita, amiga del mapache, empezó a sentir unos celos tremendos.

—¡No aguanto más tanta carta! ¡Se escriben todos los días!— se quejaba Ardillita.

Así que la pequeña ardilla escondía las cartas que el mapache enviaba a su amigo. Éste, al no tener noticias de su amigo, decidió averiguar qué le ocurría y en veinticuatro horas se presentó en casa del mapache. Ambos se dieron cuenta de lo sucedido y Ardillita, avergonzada, tuvo que pedirles perdón humildemente.

«La auténtica amistad es indestructible.»

EL OSO CARAZAS

El oso Carazas era fuerte y alto. De vez en cuando aterrorizaba a todo el mundo. El Comité se reunió para solucionar este grave problema. Ante él se presentó Borosco, el gorila invencible.

—Yo puedo vencer a Carazas si me ayudáis —dijo a los atemorizados animales.

Éstos aceptaron el trato y comenzó el ataque contra Carazas. Varias ardillas se encargaron de llamar la atención del oso, que había salido en busca de comida y diversión. Carazas corrió tras ellas dispuesto a comérselas, sin darse cuenta de que Borosco observaba muy atento. En el momento justo, Borosco cayó sobre él desde lo alto de un árbol.

El terrible oso quedó tullido después del golpe. Ahora anda con muletas y, tras mucho reflexionar, se ha dado cuenta de todos los errores cometidos y con el tiempo se ha vuelto muy amable.

«Con tu fuerza podrás asustar, pero no sabes cómo acabarás.»

LA CONEJITA SOÑADORA

La conejita vio un día a un cachorro de lobo en el fondo de un barranco que gimoteaba desconsolado llamando a su madre, la loba. Como la conejita tenía mucha imaginación creyó que había sido raptado por algún genio maligno del bosque.

Sus amigos le dijeron que estaba llamando a su madre y que era peligroso, pues en cuanto la oyese acudiría corriendo y dispuesta a atacar a quien pudiera hacer daño a su cachorro. Sin embargo, sin hacerles ningún caso, la conejita se lanzó muy decidida a salvar al lobito.

Cuando ya estaba cerca de él llegó la loba y se lanzó sobre la conejita.

Por suerte llegaron los amigos de la conejita y le explicaron a la loba sus intenciones.

«No te metas donde no te llaman.»

EL TUNO

El tuno más famoso de Canilandia se llamaba Ben. Por la noche, junto con sus compañeros, iba a rondar a alguna perrita cantando bajo su balcón.

Un día llegó al pueblo Tania, la perrita más bella que Ben había visto. Muchos tunos quedaron prendados de ella y todas las noches rondaban bajo su balcón, pero ella no se asomaba.

Ben acudió solo a rondar a la hermosa perrita. Brotó de su guitarra una canción tan dulce y romántica que, al cabo de unos minutos, la bella Tania se asomó al balcón. Ben se sintió el perrito más afortunado de la Tierra.

«Con imaginación y buen gusto siempre triunfarás.»

LA ARDILLA BUENA

Ardilla, con mucho esfuerzo, había llenado su despensa con nueces para todo el invierno. Un día observó que había un pequeño reguero de trocitos de nuez por el suelo. Siguió el rastro y vio que un grupo de hormigas se llevaban los trozos de las nueces rotas que habían caído al suelo. Ardilla les dejó marchar y volvió a su casa.

El invierno fue más largo, frío y duro de lo normal y Ardilla se estaba quedando sin comida poco a poco. Un día, un grupo de hormigas se acercó a su casa llevando un trocito de nuez cada una.

—Sabemos que te has quedado sin alimentos por nosotras. Acepta lo que te traemos, te lo damos de corazón.

De esta forma, Ardilla pudo aguantar el invierno sin pasar hambre.

«Con buena voluntad al final todo se puede arreglar.»

LA ZORRA Y LA LIEBRE

Doña Liebre hablaba continuamente de lo mucho que sabía y de los títulos universitarios que tenía. Doña Zorra, humilde, escuchaba.

—He estudiado Ingeniería, Farmacia, Arquitectura, Jardinería y Biología —dijo doña Liebre con gesto presuntuoso.

—¿Y sabes mucho de cada una? —le preguntó doña Zorra con verdadera curiosidad.

—¡Oh!, pues..., ¡naturalmente que sí! Las domino totalmente —respondió doña Liebre vacilando.

—Me parece que no —le contestó doña Zorra—. El que mucho abarca poco aprieta. Yo sólo he estudiado Medicina y estoy segura de que ahora te estás mareando por las mentiras que has dicho.

Doña Zorra había dado en el clavo.

«Nunca hagáis caso de un presumido.»

LA GALLINA REBELDE

A la gallina Cloquita le fastidiaba mucho que el dueño de la granja se aprovechase de los huevos que ponían ella y sus compañeras, así que decidió aguarle la fiesta.

—¡No pienso poner más huevos para él, a ver si me cuida más y me trae una comida más decente!

Pasaron unos días. El granjero, extrañado al ver que Cloquita no ponía huevos, pensó que algo malo le ocurría y decidió esperar. Pero, nada, Cloquita seguía adelante con su actitud rebelde y el dueño de la granja se convenció de que no servía para poner huevos, por lo que decidió hacerse un caldo con ella y en un abrir y cerrar de ojos la envió al otro mundo. Triste final el de Cloquita, la gallina rebelde.

«Si no quieres trabajar no evitarás tener un mal final.»

COLMILLO

—¡Te echamos una carrera! —gritó uno de los pingüinos al oso.

Colmillo, muerto de risa, aceptó y empezó a patinar sin fijarse que nadie le seguía. Cogió mucha velocidad hasta que, de repente, se dio cuenta de que la pista se terminaba y cayó al agua.

Colmillo era un gran patinador y practicaba en un lago helado. En esta pista destacaban por su torpeza dos pingüinos. Colmillo los empujaba y terminaban en el suelo.

—¿Por qué nos empujas? ¡La pista es de todos! —le gritó uno de los pingüinos.

Colmillo no contestaba a lo que le decían y seguía con los empujones por doquier.

Entre risas y burlas, Colmillo pudo salir. Había quedado humillado. Ya nunca más atropellaría a otros más débiles.

«Puedes ser muy patoso por sentirte orgulloso.»

DON LEO

Don Leo sólo quería que le dejasen tranquilo, pero un cazador vino a turbar su calma. ¿Qué podía hacer él, tan viejo y con los colmillos gastados? Ratoncín, su inteligente consejero, propuso:

—Majestad, deje de mi cuenta cómo ahuyentar a ese inoportuno cazador.

Ratoncín cogió un micrófono y dos potentes altavoces, que puso a la entrada de la selva. Puso el micrófono delante de don Leo y le dijo:

—Majestad, ruja con todas sus fuerzas.

Don Leo emitió un vacilante rugido, que aumentado cien veces llegó a oídos del cazador. Éste, aterrorizado, soltó la escopeta y echó a correr. Desde entonces ningún otro cazador ha vuelto a entrar en esta selva.

«Si te pones a pensar las cosas pueden cambiar.»

EL ALCE VENGATIVO

Nicolás era muy cuidadoso con todo lo suyo. Sin embargo, curiosamente, las cosas de los demás no le merecían ningún respeto. Sus amigos dejaron de prestarle sus juguetes y Nicolás, enfurecido, una tarde que se aburría los rompió todos.

Don Lobo, el guardián del bosque, recibió varias denuncias y, sin dudarlo, metió a Nicolás en la cárcel. Allí se dio cuenta de que no se pueden hacer ciertas cosas. Al salir de prisión, lo primero que hizo fue pedir perdón a todos sus amigos.

«Nunca es tarde si la dicha es buena.»

LA TORTUGA «MAL GENIO»

Cuando algo le fallaba a la tortuga «Mal Genio» era para echar a correr, pues descargaba su mal humor en el primero que encontraba. Pero no sólo lo hacía cuando le salían mal las cosas, la verdad es que la tortuga «Mal Genio» siempre echaba a los demás la culpa de todo lo que le pasase. Tras uno de sus violentos enfados, la tortuga se marchó.

Pero como en el fondo no era malvada y también tenía otras cosas buenas, al cabo de un tiempo todos se dieron cuenta de que la echaban de menos. Al fin y al cabo, sus enfados les entretenían mucho. Y la tortuga también añoraba a sus amigos.

Cuando volvió junto a ellos fue recibida con gran alegría.

«Reconoce tus errores y tendrás amigos a montones.»

TAGORÍN

música moderna ruidosa, pensando que sería lo mismo. Pero al oír la música, la cobra se arrojó sobre Tagorín dispuesta a morderle. Acertó a pasar por allí el hombre que había iniciado a Tagorín y, tocando con su flauta unos sones lentos y melodiosos, logró que la cobra se retirase.

Tagorín vio un día cómo un hombre tocaba una flauta. Ante él, una cobra se levantaba del suelo. Tanto le fascinó que le preguntó el secreto para tocar tan melodiosamente.

El hombre inició a Tagorín en los misterios de la flauta mágica.

—Recuerda que debes tocar música suave.

No le fue difícil a Tagorín conseguir una cobra, pero decidió comprar una partitura de

—Tagorín, te recuerdo que las cobras sólo toleran la música lenta y armoniosa.

Esta vez, Tagorín fue obediente y tomó buena nota del consejo.

«Si quieres aprender de los mayores, escucha sus consejos.»

LOS CINCO GUEPARDOS

Mamá Guepardo tenía cinco cachorros. Un día tuvo que visitar a su prima, que estaba enferma.

—Tengo que salir, portaos bien —les avisó.

Tan pronto como ella salió, los cinco lo revolvieron todo. Cuando se les terminó la diversión en casa se fueron de paseo. Apenas habían andado cien metros cuando un águila grandísima se lanzó sobre ellos. Muy asustados, se refugiaron debajo de un paraguas abandonado. El águila se llevó a su guarida el paraguas con los cachorros dentro. Por fortuna, su vuelo se vio interrumpido por los disparos de un cazador. Los guepardos cayeron desde gran altura sobre un charco poco profundo. Atontados por el golpe, salieron del agua y volvieron a casa muertos de miedo.

Cuando los vio, Mamá Guepardo les echó la zarpa encima, y tanto les estiró las orejas que se hicieron el doble de grandes. Además, estuvieron castigados sin salir de casa durante una semana. ¡Se lo tenían bien merecido!

«Si no obedeces, tendrás lo que te mereces.»

LAS GAFAS DE DON JAGUAR

Don Jaguar era muy fuerte y robusto, pero miope. Tropezaba en todas las piedras del camino y se caía en todos los hoyos.

—¿Yo, miope? ¡No sabéis lo que decís! —contestaba cada vez que sus amigos le aconsejaban que fuese al oculista.

Don Jaguar era muy aficionado al fútbol y siempre estaba en primera fila. A medida que su miopía aumentaba, él se iba acercando más y más a los jugadores, hasta llegar a sentarse en el centro del campo. Cualquier cosa antes que ponerse gafas.

Cuando al fin no tuvo más remedio que hacerlo, pues ya no veía ni su propia mano delante de sus narices, el oculista le obligó a ponerse unas gafas con unos cristales gordísimos y empezó a ver.

—Si hubiese venido antes podría llevar cristales normales, pero ahora... —le dijo.

«Ya veis a lo que conduce la tozudez.»

GOLIAT

El padre de Goliat era el elefante más poderoso y esperaba que su hijo fuese como él. ¡Pero Goliat sólo alzaba un palmo del suelo!

Goliat crecía muy lentamente y toda la manada le despreciaba. Él estaba muy contento de ser así y no le preocupaba la opinión de los demás.

Un día que su padre conducía la manada al río apareció ante él el más terrible enemigo del elefante: ¡un ratón! Toda la manada huyó.

Sólo Goliat permaneció en su sitio y se enfrentó a él. Lo cogió por el rabo con su pequeña trompa y lo balanceó sobre el borde de un barranco.

Después soltó a su enemigo, que, aterrado, huyó rápidamente. Desde entonces, fue considerado un héroe por la manada, y su padre estaba muy orgulloso de él.

«A nadie se debe despreciar por su aspecto.»

EL PEQUEÑO LLORÓN

El pequeño puma todo lo pedía llorando. Como es lógico, nadie le tomaba en serio y se burlaban de él, pues pensaban que era un quejica.

Tanto llorar por nada al final tuvo su castigo. Un día se le clavó una púa en la pata y se echó a llorar, esta vez con razón, pues sentía un gran dolor, pero nadie le hizo caso. La herida se le infectó y tuvieron que cortarle la patita.

Así, el pequeño puma comprendió lo perjudiciales que eran sus falsas lágrimas y por qué las verdaderas no habían surtido efecto.

«No engañes a los demás porque al final lo sufrirás.»

EL BAÑISTA

Pimpón se pasaba los días enteros tomando el sol y dándose chapuzones.

Sus familiares decían que era un vago porque nunca trabajaba, pero eso no le preocupaba nada en absoluto.

Un día, mientras tomaba el sol tumbado en su hamaca, vio que una pequeña embarcación se estaba hundiendo cerca de la orilla. Sin vacilar se lanzó al agua y salvó de perecer ahogados a un osito y a un castor que estaban dando un paseo en barco.

Desde ese día, Pimpón fue nombrado vigilante de la costa y ya nadie pudo llamarle vago nunca más.

«Siempre que sea posible hay que trabajar en algo que os guste de verdad.»

EL FOTÓGRAFO

Un joven koala trabajaba como fotógrafo, pero ganaba muy poco dinero con su oficio y decidió cambiar de trabajo para poder mantener a su familia.

Después de buscar durante mucho tiempo y en todo tipo de negocios, consiguió entrar en una oficina. En realidad el trabajo no le gustaba tanto como cuando hacía fotografías, pero ganaba mucho más.

De este modo, pasados unos años, había logrado ahorrar suficiente dinero.

Con él montó un pequeño estudio fotográfico y volvió a ejercer su verdadera vocación sin problemas económicos.

Ahora ya es muy feliz y no pasa apuros económicos, ni él ni su familia.

«Quien sabe sacrificarse por un ideal acaba obteniendo su recompensa.»

EL TRAVIESO GUEPARDO

Tahir siempre que jugaba se ensuciaba la ropa; la verdad es que era muy descuidado y travieso.

Harta de tanto lavar y planchar, su madre decidió poner fin a aquella situación y darle ropa limpia una sola vez al día.

Con esta nueva actitud de su madre, Tahir continuó siendo igual de descuidado, solo que ahora iba más sucio que antes. A él le daba lo mismo, pero cuando vio que no le dejaban entrar en muchos sitios por culpa de lo sucio que iba, puso más cuidado en no mancharse y al final logró ser un guepardo limpio y cuidadoso.

«A ser limpio te acostumbrarás; si eres sucio, te lamentarás.»

VACACIONES EN LA NIEVE

bre la nieve no podía evitar reírse y burlarse de lo patoso que era su amigo. Don Chacal esquiaba a gran velocidad y un día, haciendo una demostración de su habilidad, se rompió una pata.

Don Oso, muy solícito, lo llevó corriendo al hospital y allí le escayolaron la pata.

Don Chacal tuvo que ver la nieve durante un par de semanas desde la ventana del hospital, pero su amigo le visitaba todos los días y ¡hasta le hizo un muñeco de nieve delante de la ventana de su habitación!

«Los buenos amigos no son rencorosos.»

Don Chacal invitó a su amigo don Oso a pasar unos días en la montaña. Cuando llegaron todo estaba cubierto de nieve.

—¡Vamos a esquiar! —propuso don Chacal.

Don Oso no sabía esquiar y se caía muy a menudo. Cuando don Chacal lo veía caído so-

MININA

Minina era feliz en la casa donde vivía, pero cuando estaba sola se aburría. Un día vio un pajarito en la rama de un árbol.

—Quiero jugar contigo. Me caes muy simpático —le dijo Minina.

—Los pájaros nunca juegan con gatos, pues puede traer malas consecuencias. Adiós, Minina —respondió, y echó a volar.

¡Qué triste quedó Minina! Intentó lo mismo con una rana del estanque, con una mariposa e incluso con un ratón despistado que se había perdido, pero ninguno quería jugar con ella.

Por fin, Minina se encontró con el perrito de los vecinos de su amo, ambos se hicieron muy amigos y empezaron a jugar todos los días.

«La mala fama aleja a los amigos.»

EL GRAN CABALLERO

Una mañana llegó al pueblo un nuevo vecino. Todos quedaron admirados de su distinción: ¡en verdad era un gran caballero! Durante un tiempo fue tratado por los vecinos como un rey.

Un día, una gran riada inundó varias madrigueras. Para ayudar a los vecinos que se habían quedado sin cobijo se hizo una colecta. Todos dieron dinero excepto «el gran caballero», que no entregó ni un céntimo.

Desde aquel día el rico avaro fue tratado con indiferencia, lo que hizo que, con el tiempo, se decidiera a abandonar el pueblo.

Cuando se alejaba observó que salía humo de varias viviendas. ¡El pueblo se estaba quemando! Intervino rápidamente y con gran esfuerzo apagó el fuego. Los vecinos le expresaron su agradecimiento y le perdonaron su tacañería.

«No seas avaro aunque tengas un corazón bondadoso.»

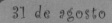

31 de agosto

LA OVEJA JARDINERA

Flora era una ovejita amante de la naturaleza. Cuando se hizo mayor se puso a trabajar en un parque municipal. Cuidaba los macizos de flores con amor ilimitado y los visitantes del parque no daban crédito a lo que veían. ¡Qué belleza!

Un día, una terrible granizada destruyó las flores que cuidaba y Flora quedó desolada. Nunca había tenido un disgusto tan grande. Siguió una lluvia que duró varias jornadas y arrasó la región, y se quedó sin trabajo.

—¿Qué voy a hacer ahora si lo único que sé hacer es cuidar de las flores y de las plantas? —se preguntó Flora angustiada.

Al verla tan triste, los pajarillos volaron hasta las nubes y les pidieron que se marcharan. Éstas, conmovidas por el canto de los pájaros, se fueron lejos y cesó la lluvia. El sol salió de nuevo y Flora volvió al parque a trabajar, feliz y contenta.

«Si ayudáis a la Naturaleza ella hará lo mismo con vosotros.»

EL SEÑOR CIEMPIÉS

Al señor Ciempiés le daba mucha pereza calzarse todas las mañanas, pues tardaba mucho tiempo en ponerse uno a uno cien zapatos. Sin embargo, un día le invitaron a una fiesta y tenía que ir calzado.

Se fue a la zapatería de don Escarabajo para comprar cincuenta pares de zapatos y le pidió los cincuenta pares, todos iguales en talla, color y diseño. ¡qué problema tan grande para el señor Escarabajo!

Éste se puso a revolver la tienda, de arriba a abajo, y al fin pudo reunir cincuenta pares de la misma talla, aunque eran de diferente color.

Tras mucho cavilar buscando una solución, el señor Escarabajo le propuso pintarlos todos de negro.

Al no ver otra solución para su problema, el señor Ciempiés aceptó. Finalmente fue a la fiesta, y causó sensación entre los asistentes. No solo por tener tantos pies, sino por haberlos podido calzar todos con tan bonitos y relucientes zapatos.

«Si te esfuerzas al final encontrarás lo que necesitas.»

EL LOBO SOLITARIO

Don Lobo vivía solo en su castillo porque no le gustaba juntarse con los habitantes del pueblo de Borregueras, llamado así porque todos sus habitantes eran borregos. Don Lobo decía que eran unos borregos incultos e ignorantes.

La vida de don Lobo era tranquila, hasta que un día se desencadenó una gran tormenta. Todos los vecinos del pueblo se reunieron en el ayuntamiento para animarse mutuamente. Don Lobo, en cambio, estaba solo en su castillo sin nadie que le diera ánimos.

La tormenta duró tres días espantosos en los que hubo multitud de rayos y truenos.

Cuando pasó, el alcalde y varios vecinos fueron a ver cómo estaba don Lobo. Éste les agradeció mucho la visita y desde entonces se ha vuelto más sociable con sus vecinos.

«No esperes a tener la ayuda de tus compañeros para ser sociable.»

EL INGENIOSO RATÓN RAMÓN

El ratón Ramón llegó un día a un pueblo muy lejano en el que apenas había ratones. Al cabo de mucho tiempo encontró a otro ratón al que preguntó:

—¿Por qué hay tan pocos ratones en este pueblo?

—Éste es un pueblo de gatos. Vigilan todos los almacenes y ratón que pillan, ratón que se comen —le contestó.

A Ramón le gustaba la aventura y dijo a su nuevo amigo:

—Entraré en el almacén que quiera. Ven y observa.

Cerca del almacén escogido, vigilado por un enorme gato, hizo un ratón mecánico, le dio cuerda y lo hizo pasar por delante del gato, que se arrojó sobre él. Lo único que consiguió fue dejarse los dientes en el ratón de metal.

Después, fingiendo que era otro ratón mecánico, se acercó a la puerta del almacén. Al verlo, el gato creyó que era otro ratón metálico y lo dejó pasar. Dentro del almacén Ramón se dio el gran banquete.

«Ser ingenioso y aventurero es muy valiosos»

FALSAS ACUSACIONES

Ratón no podía soportar que Zorrito se supiese siempre la lección y le quitase el primer puesto de la clase. Un día, le desaparecieron al profesor varias cosas de su mesa y Ratón acusó a Zorrito de haberlas robado, ya que siempre se quedaba solo al terminar las clases. ¡Él tenía que ser el ladrón!

Todo se aclaró cuando la señora de la limpieza dijo que ella las había tirado a la basura por error. Ratón recibió una reprimenda y como castigo tuvo que escribir cien veces «no volveré a decir mentiras».

«Se coge antes al mentiroso que al cojo.»

LA GALLINA TRABAJADORA

Felisa era una gallina muy trabajadora. Como no tenía dinero, dejó muy pronto los estudios y enseguida se puso a trabajar para ayudar a su familia, que era muy pobre.

Cada día, después del trabajo volvía a casa para cuidar a su madre enferma.

Cuando Felisa se quedó sola en el mundo, pensó que le gustaría volver a estudiar y aprender a cuidar a los enfermos y a curarlos de sus males. Así, ni corta ni perezosa, volvió a sus estudios, que alternaba con el trabajo para seguir ganando dinero.

Al cabo de unos años terminó la carrera de medicina y llegó a ser una brillante doctora; estaba muy orgullosa de su esfuerzo.

«Con trabajar y estudiar tu futuro arreglarás.»

LA RANA DEL LAGO

A Ranita le gustaba tanto llamar la atención que no dudaba en hacer todo tipo de cosas raras y tontas para que la vieran.

—¿No crees que es un poco absurdo vivir para hacer reír a los demás? —le decía su madre con mucha paciencia.

Ranita no hacía caso y seguía con sus tonterías llamando la atención.

Antes de tirarse al agua hacía mil piruetas innecesarias, todo para arrancar un «¡oh!» de admiración a todos los presentes.

Pasó el tiempo y sus extravagancias cada vez hacían menos gracia a la gente. Ranita se deprimió y estuvo encerrada en su casa durante una temporada.

Ahora Ranita actúa de manera distinta. Ya no vive para hacer reír a los demás sino para hacer cosas útiles para ella misma.

«No es necesario hacer tonterías para que te admiren.»

EL CONEJITO Y EL PELÍCANO

—¡Ja, ja! —se reía Conejito, bromeando con el pico de su amigo—. Algún día el pico te pesará tanto que no podrás levantarte de la cama. Es un pico inmenso, ¡enorme!

—¡Sí, sí, ríete, ya verás lo útil que puede ser mi pico! —contestaba el pelícano.

Una mañana, yendo juntos a la escuela, unos perros con ganas de buscar pelea se lanzaron sobre Conejito. Éste corrió hacia Pelícano en busca de ayuda, desesperado. Su amigo, sin dudarlo, abrió el pico y le dijo a Conejito que se metiera dentro.

Pelícano alzó el vuelo y salvó a su amigo de los perros.

Desde entonces, Conejito ya no hace bromas sobre el pico de su amigo, pues se ha dado cuenta de que todo es importante.

«No te rías de los demás; algún día los necesitarás.»

EL GRAN BAILE

frenesí. Todo cambió y muchos animalitos que no se habían atrevido a bailar el vals se lanzaron a bailar el tango.

Al cabo de un rato, todos los animales del bosque, hasta los que se habían quedado sin casa por el incendio, se pusieron a bailar animadamente el nuevo baile.

«Observa a los que saben, así tú también aprenderás.»

Numerosas parejas, elegantemente vestidas, bailaban un vals en la fiesta que se celebraba en favor de los animales que habían quedado sin casa en el incendio del bosque.

De pronto irrumpió en la pista una pareja de panteras bailando un tango con rapidez y

CHIM-PAN EN EL CINE

Todos los sábados, Chim-Pan pedía dinero a su padre para ir al cine. Allí, mientras comía todo tipo de chucherías, se pasaba la tarde viendo películas de aventuras.

Lleno de fantasía, se creía el protagonista de todas ellas: salvaba náufragos, rescataba niños de peligros, ponía en fuga a atracadores, conducía caravanas por el desierto, ayudaba a viudas y ancianos... ¡Qué bien lo pasaba!

Nada más salir del cine, Chim-Pan regresaba a casa muy contento y mientras cenaba contaba a sus padres las películas que había visto. Después se acostaba y así, al día siguiente, estaba descansado.

«El que se cansa y vive de la fantasía no logrará nada en su vida.»

EL CERDITO DETECTIVE

Un día, Cerdito se encontró una lupa. Como tenía vocación de detective siempre llevaba la lupa consigo y trataba de buscar por todas partes huellas y detalles sospechosos. Un día le llegó su oportunidad. Se había extraviado un polluelo de mamá Gallina. No había regresado de la escuela. Cerdito cogió su lupa y se puso a buscar huellas por los alrededores. Al cabo de un rato encontró unas que parecían de pollo y también las de una rata y una rana. Unos metros más adelante encontró la cartera del pollito. ¡Estaba sobre la pista! Siguió las huellas y llegó a un claro del bosque.

Allí estaban jugando el pollo, la rata y la rana. Mamá Gallina se puso muy contenta y prometió a Cerdito que le regalaría la primera media docena de huevos que pusiera para que se los comiera fritos.

«Sé agradecido cuando alguien te ayude.»

EL DESCONOCIDO

Cisne era un vagabundo que iba de casa en casa haciendo compañía y alegrando a los animales viejos y enfermos.

Si alguien estaba enfermo y lloraba apoyado en el tronco de un árbol, Cisne aparecía, le consolaba con bellas palabras y le prometía que, en uno o dos días, le enviaría a casa un regalito.

Efectivamente, al cabo de un par de días el enfermo recibía la medicina que necesitaba, aunque él no le hubiese tomado en serio. A Cisne no le importaba que al principio nadie quisiese hablar con él. Al cabo de un tiempo, cuando ya le conocían bien, confiaban en sus palabras. Ahora los amigos de Cisne se cuentan por cientos.

«No se debe juzgar sin conocer.»

137

EL GORRIÓN SOLITARIO

se había casado con un gallo. El gorrión, al enterarse, sufrió mucho y dejó de comer y beber.

Pasado algún tiempo, el gorrión conoció a una pajarita muy simpática que le supo consolar y entrar en su corazón. Desde entonces, es feliz con su nueva pareja y ya no sufre por la gallina, pues da y recibe un inmenso amor.

«No pretendas ni te obceques con lo que no puedes conseguir.»

En primavera, un gorrión se enamoró de una gallina. Llegó el invierno y el gorrión tuvo que marcharse lejos y se despidió de ella con lágrimas en los ojos. Cuando regresó, en la primavera siguiente, la gallina

EL BALONCESTO

Conejín es muy pequeño y nunca lo escogen para jugar en el equipo de baloncesto. Se tiene que conformar con ver jugar a los demás. Con el tiempo se ha hecho un gran experto en ese deporte y ha decidido formar un equipo con jugadores bajitos.

Tras mucho tiempo de preparación, Conejín ha conseguido que dejen jugar a su equipo. En sólo veinte partidos han llegado a ser temidos por los demás equipos. La ciudad entera está asombrada de la gran técnica del equipo que dirige Conejín.

«El tamaño y el aspecto nunca se deben juzgar; si eres trabajador y constante el éxito obtendrás.»

EL GRAN BROMISTA

Salomón es un sapito muy gracioso y bromista. En la escuela todos procuran sentarse lejos de él para no sufrir sus bromas.

Esta mañana, Salomón ha traído a clase polvos pica-pica para echárselos a sus compañeros. En un momento en que el profesor está distraído, abre la cajita de los polvos, pero en ese instante, entra por la ventana una ráfaga de aire y se le meten todos por las narices.

¡Mirad cómo tose, lagrimea y se rasca mientras sus compañeros se ríen de él! ¡Riesgos de ser bromista!

«Si fastidias a tus amigos, algún día serás vencido.»

LA LOTERÍA

El abuelo Oso había comprado un décimo y le había tocado el primer premio de la lotería. Apenas lo supo su familia empezaron a surgir celos y envidias. Hasta llegaron a pelearse entre ellos.

El abuelo, que era el único desinteresado, tomó una decisión. Sin pensárselo dos veces, cogió el dinero y lo repartió entre los pobres de la ciudad. De esta forma la familia ya no pelearía más por el dinero.

—Has hecho muy bien, abuelo, te felicito —le dijo uno de sus nietos. Y el resto de la familia también estaba de acuerdo.

«La avaricia rompe el saco.»

LAS ARDILLITAS Y LAS MUÑECAS

El almacén de Ardillita estaba lleno de nueces. Tenía más de las que se comería ese invierno y decidió hacer muñecas con ellas para alegrar el bosque. Cuando llegó la Nochebuena había hecho muchísimas muñecas. Las puso delante de su casa para que todos fueran cogiendo cuando vinieran a felicitarle las pascuas. Sin embargo, cuando fue a cenar, no le quedaba ninguna nuez que llevarse a la boca. Pero no le importó porque al final todo el mundo la había invitado a cenar y no tenía hambre.

«Si eres generoso, tus amigos te lo agradecerán.»

17 de septiembre

LAS DOS CEBRAS

Un día se acercó a la manada de cebras un macho solitario. Como hasta entonces los días habían sido muy monótonos y aburridos, todas estaban encantadas con el nuevo visitante.

La más bella enseguida quiso llamar su atención y él se sintió muy complacido, pues era realmente hermosa y destacaba por ello entre las demás.

Pero un atardecer el forastero salió a pasear y vio a una cebra cerca del lago, contemplando la puesta de sol. Se dio cuenta de que no era especialmente hermosa, pero era muy simpática y agradable. Rieron y hablaron de muchas cosas y al anochecer el forastero le declaró su amor.

La cebra coqueta se sintió ofendida, pues el forastero había preferido la simpatía e inteligencia de su amiga a la gran belleza que ella tenía.

«El éxito no se obtiene por ser guapo. Hay valores más importantes.»

LAS ABEJAS Y LA MIEL

Un grupo de abejas salió a buscar flores, pero no encontraron ninguna. Estaban desesperadas porque sin flores no podrían hacer miel.

Un día, una abeja descubrió una cueva llena de flores recién cortadas. Cuando estaban todas contemplando las flores, apareció el oso de la cueva e intentó echarlas.

—¡No tienes derecho a llevarte todas las flores! Muchos animalitos vivimos gracias a ellas —exclamó una de las abejas.

En vez de enfurecerse, el oso se puso a llorar mientras les decía:

—Estoy muy triste porque me siento solo y para consolarme necesito tener muchas flores. Ellas me hacen compañía.

Las abejas se compadecieron de él y le prometieron que irían todos los días a verle. Además, le regalaron un gran tarro de miel. Así el oso pudo ser feliz al tener amigos con quien jugar, y no se sintió más solo.

«Uno puede ser feliz y hacer feliz a los demás.»

EL ZORRITO PIRATA

Zorrito decidió hacerse pirata. Un día cogió un pequeño bote de remos y una espada de madera y se fue a navegar por el río dispuesto a asaltar algún barco.

Don Gamo estaba tranquilamente pescando en el río. ¡Cuál no sería su sorpresa cuando se vio asaltado por Zorrito y amenazado por su espada de madera!

—¡Ríndete y dame todo lo que lleves encima! —dijo el pirata Zorrito con voz amenazadora.

Naturalmente, don Gamo se mostró dispuesto a cooperar. Como nunca perdía su buen humor, contestó:

—Mi último deseo es comerme la merienda que he traído. Si quieres, puedo compartirla contigo.

Zorrito aceptó. Poco después, se habían hecho amigos y Zorrito se había olvidado de que era un pirata.

«Con inteligencia e ingenio se resuelven muchas cosas.»

LLEGA EL INVIERNO

—¡Uhhhhh, qué frío! —exclaman tiritando.

No obstante, deciden hacer un muñeco de nieve para entrar en calor.

Cuando han

U na simpática liebre asoma la nariz desde su refugio invernal. Todo está cubierto de nieve. Un manto blanco, impecable y frío cubre las copas de los árboles, las ramas y el suelo. Una ardilla también saca la nariz del hueco del árbol donde pasa el invierno.

terminado, la ardilla invita a su amiga a entrar en su casa y allí comen unas deliciosas y calentitas castañas asadas. El muñeco se queda solo fuera alegrando el paisaje.

«El que no se conforma con lo que tiene es porque no quiere.»

21 de septiembre

EL PINGÜINO FRIOLERO

P ablo no era como los demás pingüinos de la colonia, pues mientras ellos se pasaban el día bañándose en las aguas casi heladas, él se quedaba en su iglú junto a una estufa. «¡Ah, si yo pudiera estar en una playa tropical, tostándome al sol y con los pies sobre la arena caliente!», pensaba.

A medida que avanzaba el invierno, el frío era mayor y Pablo, incapaz de resistir más, se construyó una barca de hielo y se hizo a la mar. Navegando hacia el sur durante varias semanas, cuando ya el hielo del que estaba hecho su barco casi se había deshecho del todo, Pablo avistó unas exóticas islas con palmeras y se dirigió hacia allí. Dos años lleva Pablo viviendo en ese paraíso solitario. Es muy feliz porque se pasa todo el día tomando el sol en la playa.

«Si quieres ser feliz, busca con perseverancia lo que deseas.»

DON HIPOPÓTAMO VA DE NEGOCIOS

Don Hipopótamo es el típico animal de negocios que sólo vive para trabajar. Todos los días tiene una reunión importantísima en lugares muy alejados. Siempre viaja en avión. Cuando tardan en darle permiso para aterrizar, Don Hipopótamo se lanza en paracaídas para no perder tiempo. Todos sus empleados trabajan muchísimo y están hartos de él.

Aunque no les falta de nada, la familia de don Hipopótamo no es feliz. Su esposa y sus hijos no le ven casi nunca y le tratan con frialdad, como a un desconocido.

¿De qué sirve trabajar tanto si no tienes tiempo para disfrutar de las cosas que importan?

«Se debe trabajar, pero sin exagerar.»

EL CANGURO MARINERO

Cangurín era el cocinero de un barco que daba la vuelta al mundo. A todos les gustaban sus guisos, pero su verdadera especialidad eran las natillas.

Al cruzar el ecuador, el capitán le pidió sus famosas natillas. Cuando estaba a punto de servirlas vio una ballena cerca del barco. La ballena le pidió comida para su cría y Cangurín le dio todas las natillas.

Cuando Cangurín dijo al capitán por qué no había natillas, mandó que lo encerraran en el calabozo. Días después encallaron en unos arrecifes. Entonces la ballena acudió y con su gran fuerza sacó el barco de los arrecifes.

Cuando el capitán lo supo, sacó a Cangurín del calabozo y le concedió la medalla al mérito culinario.

«Las buenas obras siempre tienen su recompensa.»

LA JIRAFA COCINERA

Lina era una pequeña jirafa a la que le gustaba mucho cocinar. Un día que su madre estaba fuera de casa decidió hacer una tarta para ella. Cuando fue a coger los huevos de la cesta, se le rompieron. Al querer coger la harina, ésta se derramó sobre los huevos. Y lo mismo sucedió con el azúcar.

—¡Vaya, se ve que hoy no es mi día de suerte!

De todas formas quitó los trozos de cáscara, amasó todo y lo metió en el horno. Después se fue a jugar y no se acordó más del pastel.

Al rato, llegó su madre y, oliendo a quemado, se dio cuenta de lo que había hecho Lina. La llamó y le dijo:

—Gracias, Lina. Me has regalado un pastel. Nunca lo olvidaré.

«A veces con la intención basta.»

EL MAL TIRADOR

Cientos de animales disfrutaban de la fiesta. De pronto apareció don Oso y todos se quedaron mirándole pues tenía fama de aguafiestas. Don Oso se acercó a la caseta de tiro al blanco. El premio del que diera en el blanco era un gran puro. Don Oso cogió una escopeta y todos los que estaban alrededor corrieron a esconderse. Don Oso apuntó a la diana pero, en el momento de disparar, tropezó con su pierna un gato que jugaba persiguiendo a un ratón. El tiro salió desviado y dio en el trasero de don Mapache, que estaba robando un caramelo a doña Pata.

Todos se pusieron muy contentos de que el tiro hubiera servido para coger al ladronzuelo. El dueño de la caseta regaló el puro a don Oso para que no siguiera tirando. Desde entonces, don Oso ya no tiene mala fama.

«Cuando vayas a las fiestas no seas aguafiestas.»

MIMÍ

Mimí era la encargada de cuidar a unos gatitos muy traviesos. Mientras estaban en el colegio, se ocupaba del canario, de los ratoncitos y del pez de colores. La casa era un remanso de paz.

Cuando volvían del colegio, los gatitos armaban un jaleo tremendo. Perseguían a los ratones, atemorizaban al canario e intentaban coger al pececillo para llevarlo a la bañera. Mimí siempre llegaba a tiempo de impedirlo.

Un día, al volver a casa, Mimí se encontró a los gatitos dentro de la bañera llena de agua pues habían resbalado y se habían dado un gran golpe. En vez de regañarlos, Mimí los sacó y los cambió de ropa.

Los gatitos comprendieron que debían tratar mejor a los demás. Desde entonces fueron cariñosos con los ratones, el canario y el pez, y la armonía reinó en la casa.

«Con orden hay buena armonía.»

LA MODISTA

Doña Cabra es la mejor modista de la región y hasta ella viene doña Leona.

—Buenos días, doña Cabra —saluda la ilustre visitante—. Necesito que me haga un vestido para una fiesta muy importante.

—¡Claro! —exclama doña Cabra un poco azorada—. ¿Cómo lo quiere y para qué día?

Doña Cabra está preocupada, es un encargo muy importante. Trabaja día y noche con gran esfuerzo. Cuando doña Leona se prueba el vestido, ve que le queda muy pequeño. ¡Doña Cabra se ha equivocado al tomar medidas a doña Leona!

La tristeza de doña Cabra no tiene límites, pero el vestido es tan bello que doña Leona le da otra oportunidad. Podéis estar seguros de que doña Cabra va a triunfar en su empeño. ¡Por algo es la mejor modista!

«Puedes equivocarte; rectifica y pon interés y el resultado será puro arte.»

EL PERRITO Y EL HUESO

Curro era un perrito que tenía la fea costumbre de robar huesos y enterrarlos en el jardín de la casa donde vivía. Un día encontró un gran hueso y decidió enterrarlo con los demás. Al pasar por el salón, tiró al suelo un valioso jarrón de porcelana y se hizo añicos.

—¿Qué voy a hacer ahora? ¡Mi ama se pondrá furiosa! —exclamó aterrado.

Recogió los trozos del jarrón y los enterró en el jardín junto con los huesos. Lo malo es que se dejó olvidado el hueso en el lugar en el que estaba el jarrón.

Cuando su ama vio el hueso adivinó lo sucedido y castigó a Curro a no salir de casa hasta que se le pasara esa fea manía.

«Es difícil engañar a los mayores, siempre saben más.»

LOS BUENOS AMIGOS

Era invierno y Conejito tenía hambre. Bien abrigado, salió de su refugio y escarbó entre la nieve hasta encontrar unas zanahorias. Comió todo lo que pudo y cuando ya no tuvo más hambre comprobó satisfecho que todavía le quedaba una.

«Se la llevaré a Potrín, que le gustan mucho las zanahorias», se dijo muy contento.

Así lo hizo. Potrín no estaba en su casa, así que le dejó la zanahoria delante de la puerta.

Al regresar, Potrín encontró la zanahoria y creyó que se la había dejado doña Cierva, que siempre le regalaba cosas para comer. Fue a ver a doña Cierva, como no estaba en casa, le dejó la zanahoria en la puerta. Cuando doña Cierva regresó y vio la zanahoria pensó en el hambre que estaría pasando Conejito.

De esta forma, la zanahoria pasó por tres amigos que se querían mucho.

«Los buenos amigos se ayudan siempre.»

EL CONDUCTOR IMPRUDENTE

Zorrín tenía unos padres millonarios que un día le regalaron un coche deportivo. A Zorrín le gustaba conducir su coche nuevo a toda velocidad y no respetar las señales de tráfico. Por eso, se saltaba los stop, adelantaba en las curvas y no hacía caso de los semáforos. La verdad es que Zorrín era tan imprudente que suponía un serio peligro para los demás automovilistas.

Sin embargo, Zorrín no quería aprender a conducir bien ni respetar las señales. Aunque le multaban frecuentemente, le daba lo mismo pues su padre siempre pagaba las multas y casi nunca le castigaba.

Un día este conductor temerario recibió su merecido. Mientras conducía se quedó mirando a una zorrita que cruzaba la calle. Era muy bella y su andar le embelesó tanto que se despistó. Como conducía muy deprisa, no tuvo tiempo de reaccionar y se estrelló contra un árbol. En el accidente Zorrín se rompió varios huesos y tuvo que estar escayolado durante mucho tiempo. Por supuesto, el coche quedó destrozado para el desguace.

—No pienso comprarte otro coche, Zorrín. Ya has demostrado que no eres responsable conduciendo —le dijo su padre muy enfadado.

Suponemos que Zorrín habrá comprendido que no siempre puede hacer uno lo que le apetece. Hay que respetar las señales para no provocar desgracias ajenas ni propias.

«No seas egoísta y piensa en los demás.»

TROMPA Y TROMPITA

Trompa y Trompita eran muy amigos. Su amistad podía desafiar cualquier prueba, por dura que ésta fuese. Siempre estaban juntos, ya que sus respectivas familias también se llevaban muy bien. Además tenían en común una gran afición: cantaban muy bien y actuaban en festivales. Formaban un dúo musical, Trompita tenía voz de soprano y Trompa era el tenor.

—¡Si pudiésemos cantar luciendo un traje nuevo en vez del uniforme gris del colegio! —decían ambos, llenos de ilusión ante el próximo festival.

Don Castor, que era el mejor sastre del pueblo, se enteró y les dijo:

—Puedo intentar convertir esos uniformes en trajes dignos de cantantes.

Y don Castor les hizo unos trajes de gala. Ellos, agradecidos, dieron una serenata delante de su casa, que causó expectación entre los vecinos.

Cuando Trompa y Trompita se hicieron mayores formaron un dúo que actuaba dando recitales en los mejores teatros del mundo.

«El que se empeña lo consigue.»

ALA VELOZ Y FLECHILLA

Sobre un cable del tendido eléctrico dos golondrinas comentan:

—Se acerca el invierno y ya no podremos vernos —dice Flechilla.

—Otros inviernos hemos pasado y estamos otra vez aquí, vivitas y coleando —le consuela Ala Veloz intentando ser optimista.

—Tú dices eso porque vives bajo el tejado de una casa nueva y siempre estás muy calentita. Yo, en cambio, vivo bajo el alero de una casa vieja —se lamenta Flechilla.

—Todas tenemos inconvenientes. Mi tejado es nuevo, pero debajo viven unos niños que tiran piedras a los pájaros —responde Ala Veloz para que su amiga se calme.

Pasará el invierno y ninguna tragedia justificará los temores de Flechilla.

«El mundo no es de los optimistas ni de los pesimistas, sino del que sabe afrontar la realidad tal como es.»

LA HERMOSA CALANDRIA

La hermosa calandria era conocida en el bosque por su carácter alegre y aventurero. Se pasaba días enteros volando lejos del nido.

Una vez voló más lejos que de costumbre y además se rompió una patita. Una niña la vio en el suelo, la cogió y le entablilló la patita. Quiso llevársela a casa para cuidarla, pero la calandria, al ver sus intenciones, se escapó de sus manos y se fue volando muy lejos.

—Comprendo que ames tu libertad. Yo habría hecho lo mismo en tu lugar. ¡Que seas feliz y te cures pronto! —exclamó la niña despidiéndose de ella con una sonrisa de alegría, pues se alegraba por la calandria.

«No prives a nadie de su libertad.»

LA CUADRILLA

Don Hipopótamo les dio todo el dinero que había en la caja. Ellos lo cogieron y corrieron atropelladamente hacia la puerta. Pero cuando iban a salir, una red cayó sobre ellos y quedaron atrapados.

Los hijos de don Hipopótamo habían colocado la red y así consiguieron capturar a la banda de atracadores.

«El ladrón se cree muy listo, pero siempre se olvida de que aquel a quien ha robado puede tener a alguien cerca que le ayude.»

Don Hipopótamo tenía una tienda de comestibles. Un día llegaron Dogo y su banda y, encañonándole, le dijeron:

—¡Danos todo el dinero que tengas o eres hipopótamo muerto!

OREJITAS

Orejitas es bueno y amable, aunque a veces se olvida de las cosas.

—Vete a buscar a papá y dile que la comida está lista —le pide su madre.

Por el camino se encuentra a sus amigos y se pone a jugar con ellos. Orejitas está tan distraído y se está divirtiendo tanto que al final se olvida del encargo.

Pasa el tiempo y su madre se impacienta. Sale en busca de Orejitas.

Cuando la ve, Orejitas recuerda el encargo y, temiendo un castigo, dice:

—¡Lo siento, se me ha olvidado! ¡Perdóname!

Mamá Coneja, muy comprensiva, sabe que ha sido un olvido involuntario. De todas formas, cada vez que a Orejitas se le olvide un encargo hará un nudo con sus largas orejas. Así se acordará de que hay que hacer los encargos.

«Si tu memoria te falla, busca algún truco que valga.»

SULTÁN

Un día, estando de paseo, el perrito Sultán se despista y se pierde. Por más que olfatea no encuentra el menor rastro de su amo.

De pronto se encuentra con Micifuz, un gato pícaro y de buen corazón que tiene solución para todo.

—Preguntaré a mi amo. Quizá él conozca al tuyo y sepa dónde vive —le dice para tranquilizarle.

Aunque el amo de Micifuz no conoce a ningún niño parecido al amo de Sultán, la gallina Tonita, que es muy lista, sí sabe dónde vive.

Cuando Sultán regresa a casa todos están durmiendo. ¡Cuánto se van a alegrar al despertarse y verle allí sano y salvo!

«Si pierdes a tu perro, no lo abandones; búscalo hasta encontrarlo.»

7 de octubre

LA RANITA

—¿Quieres jugar al escondite? —propone Orangutín.

—¡Claro que sí! —responde su divertida amiga Ranita.

—¡Pues escóndete tú primero! —dice él.

Cuando Orangutín sale a buscar a Ranita, por más que la busca no la encuentra.

No sabe que su amiga Ranita puede camuflarse adoptando el mismo color de las cosas que la rodean y por eso no necesita esconderse para que Orangutín no la vea.

Orangutín admite que ha perdido, pero ahora sabe otra cosa más.

«No te acostarás sin saber una cosa más.»

HORMI, LA DESPISTADA

A Hormi le horroriza madrugar. En verano hay que levantarse muy temprano para salir en busca de alimentos, ya que hay que tener la despensa llena para cuando llegue el invierno. Sus compañeras de grupo siempre tienen que esperar mucho para que se levante y llegan tarde a todas partes. Un día deciden no esperarla y se marchan sin ella.

Cuando Hormi se despierta, las demás se han ido. Decide buscarlas pero acaba perdiéndose. Al día siguiente, sus compañeras la encuentran agotada de andar de un lado para otro y la llevan al hormiguero para descansar. Parece que al fin ha entendido lo importante que es madrugar. Hormi les promete que en cuanto se reponga se levantará con las demás.

«Al que madruga Dios le ayuda.»

EL PARTIDO DE FÚTBOL

Don Elefante y don Hipopótamo son grandes amigos. Siempre están juntos. Su gran pasión es el fútbol y van en pareja a ver los partidos. Bueno, no siempre. Como son hinchas de dos equipos rivales, cuando éstos juegan juntos cada uno va por su lado y se ponen en sitios diferentes. Luego, una vez terminado el partido se van los dos a un bar y el hincha del equipo ganador da ánimos al otro. ¡Un simple partido no puede hacer que dos amigos se enfaden! ¡Qué felicidad!

«Los buenos amigos no pelean.»

LA LEOPARDA TRAPECISTA

Leoparda trabajaba en un circo ambulante limpiando la pista después de las actuaciones de las grandes estrellas. La verdad era que en el fondo de su corazón, Leoparda soñaba con colgarse del trapecio y volar por el aire entre los aplausos del público. Pero pensaba que jamás lo lograría.

Su amiga Jirafa sospechaba que Leoparda tenía grandes aptitudes como trapecista. Un día le pidió que se subiese al trapecio. Leoparda, llena de ilusión, hizo unas cuantas piruetas, pero al final se cayó al vacío. Su caída fue increíble. Dio volteretas y contorsiones hasta caer en el suelo, pero con tanta habilidad que no sufrió el menor daño.

Todos quedaron boquiabiertos, tanto que el director del circo la contrató para actuar en el trapecio como una estrella.

«Cuando tengas oportunidad, no dudes en demostrar lo que vales.»

EL REGALO

A Pingüino le habían regalado un fusil de pesca submarina. Entusiasmado con su nueva arma, disparaba a todo pez que se le ponía delante por el solo placer de disparar. No había pez por los alrededores que no llevara alguna herida o cicatriz causada por el terrible fusil de Pingüino.

Un día, Pingüino se topó con una ballena y le disparó un arpón. El arpón sólo arañó la piel de la ballena. Ésta, furiosa, le quitó el fusil y se llevó a Pingüino mar adentro.

Desde allí tardó varios días en regresar a su casa y en el camino tuvo que soportar las burlas de los pececillos a los que antes disparaba su terrible arpón.

«No ataques a los mayores; ellos saben más que tú y te castigarán con razón.»

12 de octubre

COLORINES, LA HEROÍNA

iba a caer en las garras de un leopardo se puso a volar entre los dos. El leopardo quedó mareado de ver tanto color junto moviéndose delante de sus ojos y Cervatillo aprovechó para escapar.

Colorines, muy contenta, cayó exhausta y murió. En la primavera siguiente nació en ese mismo lugar una flor con los colores de la mariposa, y todos la recordaron siempre.

«El esfuerzo tiene recompensa.»

Colorines era una hermosa mariposa que empleaba sus mejores energías en revolotear de un lado para otro, dando a cada flor el polen que necesitaba para vivir y engalanando el bosque con su hermosura.

Su pequeño corazón era muy valiente. Un día que Colorines vio que su amigo Cervatillo

13 de octubre

LA CORNETA

El tío de Leoncín había sido comandante y le gustaba mucho contar historias de batallas a su querido sobrino. Sin embargo, lo que realmente le gustaba escuchar a Leoncín eran las historias que su tío contaba sobre su corneta, porque le encantaban. Un día, le regalaron una y desde entonces se pasa todo el día tocando sin darse cuenta de las molestias que ocasiona a los demás. Por las noches nadie puede dormir.

Una noche, cansado de no poder dormir, don Zorro coge una trompeta y se pone a tocar junto a la ventana de Leoncín, que esa noche no pega ojo. Leoncín se ha dado cuenta de lo molesto que es el ruido cuando los demás desean descansar, y ya no ha tocado más la corneta a horas intempestivas.

«Donde las dan las toman.»

PEQUE

Peque es un conejito que no quiere acostarse porque quiere ver la televisión con los mayores. Su madre tiene que enfadarse con él para que se vaya a la cama.

—Vete a la cama, mañana debes madrugar para ir de excursión con tus compañeros —le dice doña Coneja.

—¡Quiero ver cómo termina la película, mamá! —contesta Peque.

—Bueno, haz lo que quieras, pero mañana no podrás levantarte temprano —le contesta su madre harta de luchar contra él.

A la mañana siguiente, Peque no se despierta a tiempo y se pierde la excursión con los compañeros de clase.

Peque se ha quedado muy triste y promete no acostarse tarde nunca más. Se da cuenta de que, si hubiera obedecido a su madre, no habría faltado a la excursión.

«De los bien escarmentados salen los bien avisados.»

EL GRAN DILUVIO

Un día, se produjo un gran diluvio. Todo se inundó en poco tiempo y muchos animales perecieron. Otros lograron salvarse subiéndose a los tejados de las casas.

—¡Vamos, no hay que perder la serenidad ni el buen humor!

Así hablaba Topito, famoso por ser un juerguista y un inconsciente.

Topito comenzó a decir tonterías y a hacer piruetas para distraer a sus compañeros y que no pensaran en el peligro.

Pasó el tiempo y las aguas bajaron. Todos se habían salvado y Topito había hecho que no pensaran en su desgracia.

Cuando las cosas volvieron a la normalidad, todos reconocieron que se habían salvado gracias a Topito, que les había distraído y dado ánimos con sus palabras y su buen corazón en un mal momento. ¡Incluso le pusieron una medalla!

«De los amigos salen los agradecidos.»

16 de octubre

CALOR DE VERANO

... manera que no se ve el agua. Hay que tomar medidas severas —termina con un gesto serio.

—¿Qué sugiere usted, señor alcalde? —pregunta don Vencejo.

—¡Muy sencillo! Colocar un enorme toldo que cubra todo el pueblo y dé sombra —propone don Camello.

—No es mala idea, aunque... ¿quién va a trabajar con semejante calor? —pregunta una pantera.

«Es fácil dar ideas pero difícil realizarlas.»

Nadie recuerda un verano tan caluroso como el de aquel año, hace tiempo: ¡cuarenta y cinco grados a la sombra!

—Tengo noticias —dice el alcalde a los vecinos— de que los animales más pequeños se encierran en las neveras y se niegan a salir. Además, la piscina municipal se llena de tal

17 de octubre

EL PIANISTA

Canguro soñaba con convertirse en un gran pianista. Sin embargo, era ciego y todos se encogían de hombros resignados cuando le oían decir con gran ilusión:

—Con el tiempo podré tocar las obras más bonitas y complicadas.

Sus padres se gastaron todos sus ahorros en comprarle un piano de cola para que su hijo fuera feliz, pero pensaban que no conseguiría tocar bien el piano.

Después de practicar mucho, Canguro sorprendió a todos en un recital que dio en su casa interpretando obras muy famosas y difíciles. Fue un éxito.

«Con voluntad y constancia se puede conseguir todo.»

¡ESA PUNTUALIDAD!

Rit y Rat son dos ratones hermanos muy distintos uno de otro. Mientras Rit es un modelo de seriedad y puntualidad, Rat vive sin preocuparse por esas cosas «tan poco importantes», como él las llama.

El caso es que los dos tienen unos estupendos relojes que les regaló su padre. Mientras Rit hace todo lo posible por ser puntual, Rat retrasa el reloj cuando ve que va a llegar tarde. Así siempre podrá justificarse ante quien le espera. Pero un día...

—Lo siento, Patita, pero es que tengo el reloj atrasado y... —se justificó Rat.

—¡Ahí te quedas! Me gusta la puntualidad. Nadie me ha hecho esperar. ¡Adiós! —respondió Patita enérgicamente.

Y Rat se quedó plantado y sin novia. Seguro que nunca más volverá a llegar tarde a ninguna cita.

«Ser impuntual siempre trae malas consecuencias.»

EL KOALA Y SU TRACTOR

Koala vive feliz trabajando sus tierras con la ayuda de un viejo tractor. Saca suficiente para vivir y puede disfrutar de lo que más le gusta: el sol y el campo.

Hasta que un día el pequeño tractor se estropea y deja de funcionar. Entonces Koala se queda muy preocupado, pues no sabe cómo solucionar su problema.

«¿Qué voy a hacer ahora?», se dice Koala. «Necesito seguir trabajando la tierra y yo solo no puedo. ¡Ya está! Pondré un anuncio pidiendo un ayudante.»

Al día siguiente, un toro robusto y con ganas de trabajar se presenta en la finca de Koala. Pronto se ponen de acuerdo. Koala tiene un ayudante, además de un amigo.

«Los problemas tienen solución. Todo es cuestión de paciencia y serenidad.»

EL JUEGO DE LA GALLINITA CIEGA

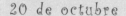

de Castor salió mucha sangre. Erizo se sintió culpable y se quedó fuera del corro.

Ahora le tocaba a Cocodrilo jugar con los ojos tapados. Sin querer, pisó un trozo de vidrio y se hizo un gran corte en una pata. Pero lo peor fue que se le quedaron clavados muchos trocitos de vidrio en la carne. Buscaron unas pinzas para sacarlos pero nadie tenía. Entonces, Erizo se arrancó dos púas e hizo con ellas unas estupendas pinzas. ¡Todo arreglado!

Tras esto, Erizo volvió a jugar a la gallinita ciega con los demás animalitos.

«Las buenas acciones al final tienen su recompensa.»

En el recreo todos jugaban a la gallinita ciega. Castor tenía los ojos vendados y tocó a Erizo, con tan mala suerte que unas púas se le clavaron en la pata. De la herida

SOLO

Topo, Liebre y Cerdita volvían de dar un paseo cuando vieron que unos gamberros lanzaban bolas de nieve a un cachorrillo.

—¡Pobrecito, estás helado y tiritando! —dijo Cerdita, compasiva.

—¡Me ha entrado nieve hasta por las orejas! —se quejó el perrito.

Los amigos descubrieron que se llamaba Solo porque no tenía padres y andaba siempre vagabundeando. Cerdita, que vivía sola, se llevó al cachorro a su casa para que ambos se hicieran compañía.

Desde entonces, siempre que Cerdita sale de paseo con sus amigos, Solo se queda cuidando la casa.

«No es buena la soledad, alguien te podrá acompañar.»

EL VESTIDO ANTICUADO

Linda da una fiesta en su casa. Sus invitados visten a la última moda. ¡Qué elegantes están todos! Bueno... todos no. Doña Cerda se ha presentado con un vestido anticuado. Los invitados la critican, pero ella no hace caso.

De repente, se presenta en la fiesta don Ciervo, uno de los modistos más importantes, quien al ver a doña Cerda, exclama asombrado:

—Pero, ¿cómo se ha enterado usted de la moda de la próxima temporada?

Unos días antes, los modistos habían decidido que la moda de la temporada siguiente iba a ser como la de veinte años antes, cuando doña Cerda se había comprado el traje que ese día llevaba puesto.

No hay que dejarse llevar por los caprichos de unos señores que deciden cuál va a ser la moda de cada año.

«Cada uno tiene sus ideas y no debe olvidarlas y copiar a los otros.»

EL PAYASO

Barro y sus amigos fueron un día a un circo ambulante que había llegado al pueblo. Lo pasaron bien, pero Barro se dio cuenta de que no había payasos. Habló con el director del circo y le propuso hacer de payaso. Todo el mundo se rió mucho con las payasadas de Barro.

El director le ofreció mucho dinero por actuar en su circo:

—No acepto dinero por hacer reír. Me conformo con tener dónde dormir y algo que comer —respondió él.

Desde entonces, Barro se convirtió en la estrella del circo ambulante y dedicó todas sus energías a alegrar a los demás.

«Qué bueno es hacer felices a los demás.»

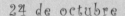

EL LORO PARLANCHÍN

En el pueblo de los loros había un loro que envidiaba a los demás. Para fastidiarles, divulgó la historia de que el pueblo iba a ser atacado por unos perros malísimos para robarles todo lo que pudiera.

—¡Rápido, huyamos a las montañas y no cojamos más que lo indispensable! —exclamó el loro envidioso.

Todos le hicieron caso y se fueron bien lejos. Al verse solo, el loro exclamó satisfecho:

—¡Ja, ja, ja! ¡Han caído en la trampa! Voy a comerme el helado más grande que encuentre. ¡Hum! Qué rico estará.

Pero un lorito, que había vuelto al pueblo a buscar un juguete que se le había olvidado, escuchó las palabras del envidioso y se fue rápidamente a contárselo a los demás. Los loros regresaron y pillaron al loro envidioso antes de que pudiera tomarse su helado preferido, y lo metieron en el cuarto oscuro de la heladería para que aprendiera.

«Antes se coge al mentiroso que al cojo.»

EL BÚHO AMABLE

Una ardilla salió de paseo una tarde y se puso a caminar. Estaba tan distraída disfrutando de la naturaleza que sin darse cuenta se perdió en el bosque. Como tardaba en volver a casa, su hermano decidió no esperar más y salió a buscarla. Afortunadamente la encontró, pero para entonces ya se había hecho de noche y no sabían el camino para regresar a su hogar.

Menos mal que un búho los vio en la oscuridad y con sus grandes ojos los guió hasta su casa.

Cuando se hizo de día, don Búho pudo descansar muy satisfecho de la buena acción realizada.

«Si tienes oportunidad ayuda a quien lo necesita.»

26 de octubre

LOS BANDIDOS

Miau, Cuac, Muu y Bee jugaban a los bandidos, y Muú y Beé siempre hacían de víctimas.

—¿No habría que turnarse? Un día de asaltados y otro de asaltantes —decían Muu y Bee. Pero Miau y Cuac se hacían los sordos para no cambiar.

Un día Miau les dijo:

—Si no estáis conformes podéis marcharos. Jugaremos Cuac y yo.

Miau y Cuac siguieron jugando a los bandidos pero ahora Cuac era la víctima.

Cuac propuso a Miau que se turnaran pues él no quería hacer siempre de víctima.

—Si no te gusta, vete —respondió Miau.

Así fue cómo Miau se quedó solo y no pudo jugar a nada. No tardó en comprender que había sido muy egoísta y pidió perdón a sus amigos de juegos.

A partir de entonces jugaron los cuatro turnándose en los papeles.

«Si eres egoísta, te quedarás solo.»

27 de octubre

EL PARIENTE

Don Cordero vivía con su familia en el bosque. Un día, pidió a su primo Corderón que viniera de la ciudad para cuidar de sus hijos. Corderón, que era muy rico, llegó al pueblo en un gran coche. Fue la admiración de todos, pero era muy presumido y miraba a los demás por encima del hombro.

Una noche, sus sobrinos le vieron temblar de miedo.

—¿Quién hará esos ruidos fuera? ¿Será un fantasma?

—¿Qué dices, tío? Es don Búho, el vigilante nocturno —contestaron los niños burlándose de él.

«Si eres orgulloso, no seas miedoso; tus amigos te dejarán y de ti se reirán.»

EL COLUMPIO

A Elefantín no le dejaban subir al «columpio fatal», la atracción más emocionante del parque, porque pesaba demasiado y era peligroso.

Una noche se levantó de la cama sigilosamente y en pijama se fue al parque de atracciones, que ya estaba cerrado. Saltó la verja y fue hacia los columpios. Accionó los mandos del «columpio fatal» y se subió en uno. Empezó a subir y a girar cada vez más deprisa. Elefantín bramaba de emoción. ¡Cuánto disfrutaba! Pero las cadenas que sostenían el columpio se iban rompiendo una a una, por el peso de Elefantín y cayó al suelo.

Magullado y lleno de chichones, rozaduras y moratones, Elefantín recuperó el sentido.

—Has vuelto a nacer, Elefantín —le dijo el vigilante, que se había despertado por el ruido—. Menos mal que no accionaste bien los mandos y sólo subiste a poca altura que si no...

Tras pedir perdón, Elefantín volvió a su casa y durmió «a pata suelta» el resto de la noche.

«*A veces, satisfacer los caprichos puede ser peligroso.*»

LA COMADREJA TONTA

Lila se hacía pasar por una comadreja muy tonta. De esta forma, la profesora le exigía menos que a las demás. La verdad es que Lila era muy lista. En sus ratos libres se dedicaba a inventar juegos. Un día, hubo un concurso de habilidades e inventos. Lila, entusiasmada, intentó apuntarse al concurso, pero su profesora le dijo:

—No, Lila. Tú no puedes participar, no tienes capacidad.

Lila, furiosa, se puso a demostrar sus aptitudes delante de todos. Naturalmente, fue descubierta y tuvo que ponerse a estudiar y trabajar como el resto.

Además, recibió una gran regañina por parte de su profesora y otra en su casa.

«*Antes se coge al mentiroso que al cojo.*»

EL HONRADO RECOGEDOR DE PELOTAS

Don Cerdo y don Gallo solían jugar juntos partidos de tenis. Para recoger las pelotas que se salían de la pista contrataron a Macaco, que era un gran aficionado al tenis. Una tarde, Macaco tuvo que buscar una pelota que don Gallo había lanzado muy lejos y tardó en volver. Al terminar el partido, don Cerdo comprobó que alguien le había robado la cartera que había dejado en el vestuario. Don Gallo acusó a Macaco de haberla robado aprovechando que iba a buscar la pelota. Macaco fue encerrado en la cárcel.

Pero Chimpancín, amigo íntimo de Macaco, que estaba viendo el partido, había visto a don Gallo ir al vestuario y robar la cartera de don Cerdo, y contó lo sucedido a la policía. Así, a Macaco lo pusieron en libertad, y don Gallo fue a la cárcel desde donde ahora ve cómo don Gallo juega con Macaco, y Chimpancín recoge las pelotas.

«Si además de robar acusas a los demás, tu castigo tendrás.»

DESCONFIANZA

Roncín todos los días organizaba fiestas para invitar a sus amigos. Cuando se le terminó el dinero, los amigos le abandonaron.

Pasado un tiempo, se convirtió en un famoso caballo de carreras. Los amigos que le habían abandonado querían volver con él. Roncín conoció a Cebrón, que parecía querer ser su amigo. Para comprobarlo, dijo a Cebrón que había perdido su dinero en las apuestas.

—No te preocupes —respondió Cebrón—. Te presto lo que necesites.

Roncín comprendió que Cebrón era sincero. ¡Al fin había encontrado un verdadero amigo!

«Los que quieren ser tus amigos por egoísmo no merecen tu amistad.»

LAS HORMIGAS BONDADOSAS

Numerosas hormigas pasaban el duro y frío invierno en una cálida y acogedora casa y en ella descansaban por la noche junto a la lumbre.

Escucharon unos leves golpes en la puerta, se apresuraron a abrir y descubrieron a Cigarrita desmayada sobre la nieve. Rápidamente la invitaron a entrar.

Con el calor de la lumbre, Cigarrita fue entrando en calor.

—No te preocupes Cigarrita. Estás en mi refugio —la tranquilizó Hormiguita muy sonriente.

Cigarrita, avergonzada de su pasada conducta, prometió cambiar de vida. Entre tanto, ¿qué podía hacer para corresponder a los cuidados de sus anfitrionas?

—Bastará con que te encargues de hacer la comida y de barrer el hormiguero —le dijo Hormiguita, satisfecha y contenta por el cambio observado en su vieja amiga.

Cigarrita, muy emprendedora, fue desde ese momento una estupenda servidora del hormiguero. Ayudaba a sus amigas a recolectar alimentos e incluso las llevaba sobre sus alas si recorrían grandes distancias. ¡Ah! También supo amenizar las veladas ante la lumbre con su alegría y sus canciones.

«Hay que saber recapacitar y agradecer los favores recibidos.»

EL CASTOR DEPORTISTA

Castorcito ahora come a todas horas. Naturalmente, empieza a engordar y engordar. Como es un presumido, se mira diariamente al espejo y empieza a preocuparse por la papada que le sale debajo del hocico y los michelines de sus costillas.

Conejín se cruza con él en la calle y le dice con ánimo de ayudarle:

—¡Qué gordo estás, Castorcito! Yo te pondría a tono en un mes. La gimnasia es lo mejor para estos casos.

—¿Ah, sí? —responde Castorcito, arrepentido de su glotonería.

Desde ese día Castorcito decide empezar a hacer ciclismo, gimnasia, a correr, nadar, etc., pero con el ejercicio se le despierta un hambre feroz y, en vez de perder peso, engorda más.

Tras mucho cavilar, Castorcito al fin comprende que, aunque es bueno hacer gimnasia, lo mejor para perder peso es comer un poco de todo y en la cantidad justa.

«El comilón y goloso será gordo.»

EL ZORRO FANFARRÓN

Zorrete se pasaba el día presumiendo de sus hazañas. Un día se encontró con Zorrín, que iba lleno de moratones y heridas.

—Pero, ¿qué te ha pasado? —le preguntó.

—Entré en el corral de don Gallo a cazar alguna gallina y me ha dado una paliza.

—¡Bah! Eso te pasa por tonto. Yo habría cogido todas las gallinas —dijo Zorrete—. Para que veas que es verdad, voy a ir a su corral, me hago su amigo y, cuando se descuide, me llevo todas las gallinas.

Zorrete fue al corral de don Gallo, pero Conejín, que había oído su conversación, fue a contárselo a don Gallo. Éste decidió escarmentarle.

Cuando Zorrete entró en el corral se vio sorprendido por don Gallo y todas las gallinas que, enfadadas, le echaron. Desde entonces, no ha vuelto a presumir jamás de nada.

«Al fanfarrón y presumido nadie le creerá sus hazañas y siempre tendrá su castigo.»

El ave del paraíso

En una lejana isla vivía el Ave del Paraíso. Su plumaje era el más bello de todas las aves. Sin embargo, era muy desgraciado pues había perdido a su amada. Por más que sus amigos intentaban alegrarle con sus melodiosos cantos nada lograba aliviar el dolor de su corazón. Era tan grande su tristeza que no podía trabajar ni comer ni dormir, y sólo pensaba en una cosa: estar de nuevo con su amada.

Cuenta la leyenda que un día el Ave del Paraíso, cansado de esperar en vano, se arrojó desde los acantilados más altos de la isla creyendo que llegaría volando desde allí hasta el Reino Encantado donde su amada le esperaba.

«La presunción y belleza poco te ayudarán, si quieres sobrevivir tendrás que trabajar.»

«Sabelotodo»

«Sabelotodo» era como llamaban a doña Tortuga. Se interesaba por todos los temas, leía mucho, y los vecinos le preguntaban lo que no sabían.

—Dispense, doña Tortuga, pero querría saber dónde se encuentra la isla de Sri Lanka y... —dijo un día doña Zorra.

—Veamos, la isla de Sri Lanka se encuentra en el océano Índico, al sur de la India.

—¡Oh, gracias «Sabelo...», digo... doña Tortuga! —respondió azorada doña Zorra.

«Sabelotodo» sonreía comprensiva. Conocía el apodo que le habían puesto sus vecinos pero no estaba molesta, ya que pensaba que todos la admiraban. Pasaron los años y doña Tortuga se volvió muy pedante. De ser admirada se había vuelto amargada e insatisfecha y hacía la vida insoportable a los demás.

«Ser pedante es algo que se debe evitar.»

EL LOBO BONACHÓN

Lobete ha sido expulsado de la manada por no querer participar en las cacerías.

—¿Qué voy a hacer ahora? —se pregunta Lobete, abandonado en el bosque.

—No te preocupes —le dice Castor saliendo de su escondite—. Mis amigos y yo cuidaremos de ti. ¡Se me ocurre una idea! Podrías encargarte de protegernos, ya que tu sola presencia sembrará el pánico entre nuestros feroces enemigos. ¿Quieres?

—¡Oh, sí, claro que sí! —contesta Lobete alborozado por el elogio de su buen amigo el castor.

Los indefensos animalitos del bosque se han puesto muy contentos de tener a alguien que los defienda. ¡Qué útil se siente ahora Lobete!

«Unos no sirven para unas cosas y son útiles para otras.»

EL GALLO DICTADOR

En el gallinero, doce gallinas y sus polluelos compartían su vida con Ratoncín. Éste hacía las delicias de sus compañeros con sus estupendas ocurrencias.

Un día, el dueño del gallinero metió en él un gallo muy dominante. Lo primero que hizo fue expulsar a Ratoncín a picotazos. Después obligaba a trabajar a las gallinas y a sus polluelos mucho más de lo necesario. Sin embargo, éstos, de acuerdo con Ratoncín, decidieron sublevarse contra el gallo dictador. Una noche Ratoncín untó con pegamento el palo donde se subía el gallo para dar las órdenes. Al día siguiente, cuando el gallo subió para despertarlos con su agudo «kikirikí», se quedó pegado al palo. El gallinero volvió a ser el mismo lugar ale-

gre de antes. Naturalmente, todo lo veía el gallo desde el palo donde estaba pegado.

Tras pasar varios días pensando, comprendió que había abusado de todos y, después de pedir perdón, le despegaron del palo. Desde ese día, el gallo vivió en paz.

«De los escarmentados salen los avisados.»

EL ESTANQUE MÁGICO

Blanquito era un hermoso cisne que vivía a orillas de un pequeño estanque. Blanquito se pasaba el día imaginándose que era una gaviota voladora capaz de volar hasta el sol.

—Algún día me convertiré en la gaviota más hermosa del mundo —decía a sus amigos. Naturalmente, todos se reían de él.

Un día, mientras nadaba en el lago notó que se había convertido en una gaviota. Lleno de gozo desplegó sus alas y se remontó hasta el azul del cielo, dispuesto a llegar hasta el sol.

Jamás se volvió a ver a Blanquito por el estanque. Nadie supo que en realidad se trataba de un estanque mágico y que en el fondo de sus aguas existían fuerzas ocultas muy poderosas, capaces de obrar cualquier prodigio, por increíble que fuese.

«No sueñes demasiado y confórmate con lo que eres.»

LAS SIETE CABRITAS

Siete cabritas vivían en una casita junto al bosque. Un día que doña Cabra tuvo que ir al pueblo les dijo:

—Hijas mías, cerrad bien puertas y ventanas, no salgáis por ningún motivo y, sobre todo, no abráis la puerta a nadie.

—Descuida, mamá. Vete tranquila —respondió la mayor de las cabritas.

Apenas vio don Lobo que doña Cabra se alejaba, se acercó y llamó a la puerta fingiendo ser un pobre y desfallecido osito perdido. Una de las cabritas miró por un agujero y vio sorprendida que era don Lobo. Sin tardar mucho le tiró un cubo de agua hirviendo desde una ventana del piso de arriba. Don Lobo se tuvo que ir y estuvo en cama un tiempo debido al resfriado que cogió aquel día. Cuando su madre llegó, encontró a las siete cabritas sanas y salvas. Y el lobo nunca volvió.

«Obedece a tu madre, que bien sabe lo que hace.»

EL MOCHUELO LADRÓN

En el bosque de Pamplinolandia las cosas desaparecían como si se desvaneciesen en el aire. Naturalmente, todos suponían que había un ladrón por medio, pero ¿cómo descubrirle, si no dejaba la menor huella?

Los mejores detectives del bosque se declararon impotentes, tras un largo estudio del caso, para resolver el misterio de Los Robos Invisibles. Era un espectáculo ver a cada vecino del bosque guardar joyas, regalos y otro atractivos objetos en los sitios más raros. Todo inútil. El ladrón debía de tener un olfato infalible, porque nada escapaba a su avaricia.

El alcalde contrató a Merlín, el canguro detective, que en dos horas le dijo:

—El ladrón es don Mochuelo, señor alcalde —dijo Merlín.

—¿Don Mochuelo? ¡Pero si es muy honrado! —respondió el alcalde—. ¿Por qué lo dice?

—Muy fácil. Le he visto robar el televisor de doña Perdiz —repuso Merlín sereno.

«Cuando un problema no puedas solucionar, a la persona adecuada has de buscar.»

EL COYOTE BURLADO

Don Coyote tenía aterrorizados a los habitantes de la pradera. Un día vio un potrillo que estaba con su madre y se dijo:

—Me apetece robar ese potrillo porque necesito un criado. Bastará con que le enseñe algunas cosillas y... ¡a vivir!

Así lo hizo. Aprovechando una distracción de doña Yegua, se lanzó sobre el indefenso animal y se lo llevó corriendo. Tan deprisa iba que se dio de frente con don Búfalo, que le propinó tal coz que lo mandó volando por los aires. Pero el escarmiento no quedó ahí, porque don Coyote fue a caer justo al lado de doña Yegua que la emprendió a coces con el travieso don Coyote.

Suponemos que don Coyote no volverá a querer un criado gratis.

«El egoísta y prepotente siempre tiene su escarmiento.»

LA COTORRA PARLANCHINA

—Hay que hacer algo para librarse del tormento que nos da Cotorrita —propuso doña Cebra, harta de la situación.

—Eso es fácil —dijo Lemurito, que por algo era el primero de su clase—, le regalamos un espejo y así podrá charlar a gusto con ella misma todo el tiempo. Seguro que no se da cuenta y se queda muy contenta.

La treta dio resultado. Ahí tenéis a Cotorrita hablando con ella misma reflejada en el espejo. Lleva así tres días seguidos.

«Al charlatán el mundo le huye.»

Cotorrita podía estar hablando horas y horas. Le daba igual si la escuchaban o no, ella hablaba y hablaba sin parar. Todos corrían cuando la veían para librarse de su interminable conversación.

EL GATO TRAMPOSO

Don Oso estaba desesperado porque los ratones se comían toda la comida que guardaba en su despensa y ya no sabía qué podía hacer para solucionarlo. Un buen día pasó por allí don Gato, que era muy espabilado, y le propuso darle de comer a cambio de exterminar a los ratones.

Pero esto no satisfizo a don Gato, que prefirió hacer un pacto con los ratones. Éstos podrían seguir saqueando las provisiones de don Oso a cambio de que le dieran los alimentos más sabrosos. Los ratones aceptaron y don Gato se dio la gran vida.

Harto ya de tanto saqueo, don Oso contrató a un enorme perrazo, que dio buena cuenta de los ratones y de don Gato en un abrir y cerrar de ojos.

¡Ah, si don Gato se hubiese conformado con lo que le ofrecía don Oso!

«Si engañas, debes pensar que alguien más listo te descubrirá.»

EL CORDERO Y EL LOBO

Albino era un cordero muy blanco que destacaba en el rebaño por su bondad. Un día se acercó a la orilla de un río a beber. Unos metros agua arriba un enorme lobo hacía lo mismo. El feroz animal, al ver a su vecino, le dijo airado:

—¡Eh, tú!, ¿no ves que me estás ensuciando el agua?

—¿No serás tú quien me la ensucia a mí? —le contestó Albino muy enfadado—. Al fin y al cabo ten en cuenta que la corriente viene hacia mí desde donde tú bebes.

—¿Cómo te atreves a llevarme la contraria? Te voy a devorar en señal de castigo —amenazó el lobo arrojándose sobre él.

Albino, rápido de reflejos, esquivó la embestida del lobo, que cayó al agua y se ahogó.

«La fuerza bruta jamás puede competir con la razón.»

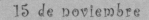

EL SALTAMONTES NEGOCIANTE

Saltamontes estaba sin trabajo y necesitaba dinero para comprar ropa y comida. Todas las mañanas al levantarse se preguntaba cómo podría conseguirlo. Saltamontes pensó y pensó en varias ideas, pero ninguna le convencía, hasta que un día exclamó entusiasta:

—¡Tengo la idea salvadora! Haré de «taxi» y llevaré a los animales que lo necesiten de un sitio a otro. Podré ayudarles y, de paso, ganaré el dinero que necesito.

¡Qué gran ocurrencia la suya! Muchos animales viejos e inválidos vieron solucionado su problema de transporte, pues no podían cruzar el río sin ayuda.

De esta forma Saltamontes fue feliz. Satisfecho con su nueva vida y su nueva profesión, trabajó duro y ganó dinero para comprar ropa y comida.

«El trabajo ayuda a vivir.»

LA URRACA PROTESTONA

Urri, la protestona, reflexionó sobre el comentario de su compañera. Por un momento se imaginó fuera de la copa del árbol, alejada de sus compañeras, y tembló ante la idea de tener que buscarse otro árbol y otra comunidad. Entonces se dio cuenta de que su amiga tenía razón, nunca sería todo perfecto, vivir las tres juntas tenía sus ventajas y sus inconvenientes y quizá ella sólo se había fijado en lo que le disgustaba, olvidando las cosas buenas. Así, se dio cuenta de que se sentía muy a gusto con sus cuatro compañeras.

«Si estás feliz y contento valóralo y no protestes sin ton ni son.»

Cinco urracas vivían en la copa de un árbol. Se habían repartido las tareas domésticas y disfrutaban de todas las cosas en común. Sólo una, la menor, protestaba. Dejaba ver en muchas ocasiones su mal carácter y se enfurecía sin razón.

—Urripita me ha manchado la rama —se quejaba a Urraca, la mayor del grupo.

—¿Por qué no se lo dices a ella? Eres la única que se queja por tonterías. Si no estás contenta aquí, búscate otro árbol.

EL LORO SABIO

Don Loro había viajado por medio mundo acompañando al maharajá de Jaipur, donde era muy apreciado porque contaba unos cuentos muy divertidos que hacían reir a toda la corte.

Sin embargo, aunque muy feliz, llegó un día en que, aburrido de vivir siempre en palacios, decidió fugarse en busca de nuevas aventuras. Tras mil penalidades, llegó a la selva malaya. Don Loro pensó que tenía que ganarse la vida de alguna forma y, como era muy buen orador, decidió contar sus numerosas aventuras a los habitantes de la selva. Al cabo de unos años fue nombrado Poeta y Cantor del Reino de la Jungla. Desde entonces ha sembrado de sueños y esperanzas los corazones de sus amigos y vecinos.

«Es bueno escuchar y ser capaz de soñar con las aventuras que los demás te pueden contar.»

EL OSITO FRESCO

Osito presumía de su inteligencia y nunca se esforzaba por nada. Todo le salía bien.

Un día, descubrió una colmena repleta de miel. Cientos de abejas trabajaban incansablemente para reunir ese manjar. Eso no le preocupaba a Osito, que aprovechaba cualquier descuido de las abejas para darse un gran banquete.

—¡Qué tontas son estas abejas! Mucho trabajar y luego se dejan quitar la miel.

Las pobres abejas, extrañadas por cómo desaparecía la miel, decidieron vigilar la colmena y no tardaron en descubrir a Osito. De repente, todas las abejas se lanzaron furiosas sobre él. Recibió tantos picotazos que, hinchado, salió bramando corre que te corre a través del bosque. El escarmiento dio resultado, pues Osito no volvió a intentar jamás apropiarse de lo ajeno.

«Uno no se debe aprovechar del trabajo de los demás.»

LA LIEBRE Y LA TORTUGA

Rayo era la liebre más veloz del bosque. Siempre presumía y alardeaba de sus cualidades. Ella decía:

—Nadie puede vencerme en una carrera. Todos parecéis tortugas. Soy con diferencia la más veloz.

En ese momento apareció doña Tortuga. Al verla, Rayo se dirigió a ella y se burló riéndose:

—Mirad quién viene, la tortuga más lenta y torpe del mundo. Nadie puede ir más despacio que ella.

Rayo tenía la costumbre de pasar a toda velocidad rozando a los animales desprevenidos, que normalmente acababan en el suelo. Deseosa de humillar a doña Tortuga, la rozó e hizo que quedara patas arriba.

Aunque los presentes intentaron disimular, al final acabaron por estallar en sonoras carcajadas.

«No presumas de tus cualidades riéndote de los que no las tienen.»

20 de noviembre

EL DESAFÍO

Allí estaba doña Tortuga patas arriba en el suelo entre las burlas de Rayo y las risas de todos.

—¡Parece mentira que te comportes así! —dijo doña Tortuga muy enfadada por lo que había hecho Rayo.

—Es que es usted tan lenta que la ráfaga de viento que he levantado la ha tirado —contestó Rayo riendo.

—No ha sido una ráfaga de viento. Tú misma me has empujado, ¡mentirosa! —respondió doña Tortuga cada vez más irritada—. Además, yo soy lenta pero segura. Tú, en cambio, eres una atolondrada.

—¿Me está desafiando? —preguntó Rayo molesta.

—¡Eso es! Voy a demostrar que no eres más que una fanfarrona. Yo, que soy tan lenta, voy a ganarte en una carrera —anunció doña Tortuga.

—¿Han oído ustedes? ¡Desafiarme a mí! —exclamó Rayo un poco nerviosa.

«Cada uno debe estar contento con lo que tiene.»

21 de noviembre

LA CARRERA

—Presumes de tu rapidez, pero olvidas que la constancia es más importante. Yo la tengo; tú, en cambio, no puedes decir lo mismo —aseguró doña Tortuga ya más tranquila.

—Bueno, bueno, ya veremos quién gana —dijo Rayo en tono desafiante.

Se dio la salida y Rayo partió como un meteoro. Imperturbable, doña Tortuga empezó a caminar. Rayo perdió de vista a su contrincante y, aburrida, se dijo:

«¡Bah! Llegaré demasiado pronto, me tomaré la carrera con calma».

En ese momento pasaba junto a un campo de zanahorias. Animada con el espectáculo, Rayo cogió una y se puso a comer. Como no veía venir a la tortuga decidió echarse una siestecita.

«Sé constante en tus actividades y no pierdas oportunidades.»

EL TRIUNFO

Pasó el tiempo y Rayo seguía durmiendo. Pasito a pasito, sin apresurarse, doña Tortuga caminaba sonriente y segura de sus fuerzas.

Cuando pasó junto al campo de zanahorias, volvió la cabeza y allí estaba Rayo durmiendo bajo un árbol a pierna suelta. Al cabo de un rato, un griterío despertó a Rayo. Era la multitud que contemplaba absorta cómo doña Tortuga estaba a punto de entrar vencedora. La liebre, pálida, se lanzó a la carrera tratando de alcanzar a doña Tortuga, pero fue imposible. A doña Tortuga le faltaban sólo unos pasos para llegar. Rayo llegó cuando doña Tortuga ya había cruzado la línea de meta. ¡Le había ganado!

«La constancia es la virtud más valiosa. Sin ella es difícil aspirar a nada.»

23 de noviembre

LA CIGARRA ALEGRE

Cigarrita siempre estaba cantando, comiendo o durmiendo. No hacía otra cosa.

Un día, Cigarrita observó a Hormiguita que pasaba junto a ella cargada de alimentos hacia el hormiguero.

—Pero, Hormiguita, ¿por qué trabajas tanto con el buen tiempo que hace? ¿No sería mejor que cantases y te divirtieses un poco? —le preguntó Cigarrita.

—¡Debería darte vergüenza vivir así! A mí también me gustaría descansar, pero si no trabajo ahora moriré de hambre en invierno —contestó.

—¡Bah! El invierno aún está muy lejos y ahora es el momento de disfrutar.

Cigarrita tenía parte de razón, pero cuando llegase el invierno no tendría nada que comer.

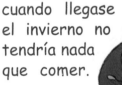

«Es bueno divertirse siempre que también trabajes.»

24 de noviembre

EL CRUDO INVIERNO

Pasó el tiempo y, antes de que Cigarrita se pudiese dar cuenta, llegó el otoño.

Un día cayó una gran nevada. Cigarrita, sorprendida en medio del bosque, vagó de un lugar a otro aterida de frío y hambrienta, sin saber a dónde ir. ¡Cuánto se acordaba de los consejos que le había dado Hormiguita!

—¡Qué desgraciada soy! He malgastado mi vida en tonterías. Me siento desfallecer y voy a morir sin remedio —se lamentaba Cigarrita con gran tristeza, a punto de caer desmayada sobre la blanda y gélida nieve.

De pronto distinguió a lo lejos el humo que salía de un viejo tronco de árbol. ¡Era el refugio de Hormiguita y de sus compañeras! Con sus últimas fuerzas, Cigarrita se acercó a la puerta, deseosa de poder entrar.

«Más vale prevenir que lamentar.»

25 de noviembre

LA ABUBILLA CANTARINA

Abubilla alegraba el bosque con sus trinos. Todos los animales la querían. Pero un día Abubilla se quedó sin voz. Probó todos los remedios que le ofrecieron para que la recuperara, pero fue en vano. Además empeoraba de día en día.

Hasta que una mañana llegó don Ciervo, que era un gran mago y curandero.

—No es nada serio, Abubilla. Simplemente has estado cantando mucho tiempo y has forzado la voz. Bastará con que te tomes este jarabe.

Abubilla siguió el consejo de don Ciervo y a los pocos días de nuevo pudo cantar.

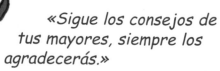

«Sigue los consejos de tus mayores, siempre los agradecerás.»

26 de noviembre

EL GALÁPAGO FRIOLERO

Don Galápago pasaba mucho frío en su isla. Había oído decir que navegando hacia el sur existían islas en las que hacía menos frío y el sol salía todos los días.

Empezó a construir un barco y al cabo de unos meses lo tenía ya listo para salir a navegar. Era un pequeño cascarón compuesto por unos pocos tablones roñosos y una vela mugrienta. Todos sus vecinos salieron a despedirlo, deseándole suerte en su largo viaje.

Pasados unos meses, don Galápago estaba de vuelta.

—¿Ya de vuelta? ¡Pero si se marchó usted hace sólo seis meses! —le dijo su vecino al verle.

—Hay muy poco que ver por ahí, vecino. Cuanto más al sur, más frío hace, así que prefiero vivir con este clima —le contestó, resignado, pues se había perdido en el océano.

¡Don Galápago! Antes de salir de viaje hay que estudiar un poco de geografía.

«Si buscas aventuras prepárate bien.»

27 de noviembre

ELEFANTÍN, EL CURIOSO

Elefantín no tiene remedio. Mete la trompa en los lugares más inapropiados y en el momento más inoportuno, y ¡claro!, a veces sale trasquilado.

Cuando lo regaña doña Elefanta al verlo llegar herido, contesta, cansada de sus tropelías:

—Si yo no hago nada, ¿es que no puedo ver lo que hay en el mundo? Con tal de no molestar a nadie...

—¡Es que da la casualidad de que sí molestas a la gente metiendo la trompa donde no debes, hijo! —exclama doña Elefanta.

Todo inútil. Elefantín sigue con su manía de curiosearlo todo y de no escuchar los consejos de nadie.

¡Oh, qué desgracia! Me han dicho que Elefantín ha caído en la trampa de unos cazadores. Seguramente acabará haciendo piruetas en algún circo.

«El que curiosea y desobedece encuentra lo que se merece.»

EL TIGRE BURLADO

Tres cervatillos descansaban a orillas de un río muy caudaloso. De repente, se abalanzó don Tigre, pero en vez de atacarlos, comentó:

—¡Hum! ¡Qué buen aspecto tenéis! Voy a darme un banquete a costa vuestra.

—¿Ah, sí? —contestó uno de los cervatillos—. Hemos oído que es usted capaz de dar unos saltos enormes y, ya que vamos a morir, quisiéramos verle dar un salto.

—Ahora lo veréis. ¿Veis ese madero que flota en el río? Saltaré sobre él y luego saltaré otra vez a tierra y os comeré a los tres.

En efecto, don Tigre saltó al madero, pero cuando intentó volver a tierra el madero había sido arrastrado hacia dentro y no pudo llegar a la orilla con su salto. Cayó al agua y rápidamente la corriente lo arrastró.

Los cervatillos se llevaron una gran alegría al ver desaparecer a don Tigre.

«Se debe pensar antes de actuar.»

GINA

Gina es un perrita atolondrada y curiosa que se distrae con cualquier cosa. Un día salió de excursión con sus amos. Después de merendar, Gina empezó a saltar, correr y perseguir a las mariposas que revoloteaban por allí. Cuando quiso darse cuenta, se había perdido. Hambrienta y cansada, pasó varias noches a la intemperie.

Favorecida por la buena suerte, no tardó en encontrar nuevos amos. Era una pareja muy simpática y comprensiva. Gina pronto se ganó su cariño.

Sin embargo, continúa tan distraída como antes. ¡Ay!, cualquier día va a perderse de nuevo. Como tantos y tantos seres humanos no escarmienta nunca y es capaz de tropezar dos veces en la misma piedra.

«No siempre se tiene buena suerte.»

LA BALLENA ALEGRE

La ballena es el animal más grande del planeta y, por joven que sea, como en el caso de Ballenita, puede causar serios disgustos entre las personas.

El caso es que a Ballenita le gustaba mucho saltar y jugar cerca de la costa. Le encantaba divertirse, pero los demás animales marinos se burlaban de ella, así que Ballenita casi siempre jugaba sola.

Lo que más le divertía era dar grandes saltos, pero con sus brincos acuáticos causaba grandes problemas a los pescadores. Las olas que levantaba habían hecho zozobrar a más de una barca de pesca.

—Ballenita, mucho me alegra que te sientas tan feliz y juguetona, pero haces que se hundan las barcas de los pescadores —le dijo el simpático Delfín.

—¡Cuánto lo siento, amigo Delfín! —exclamó Ballenita sinceramente arrepentida—. Dime, ¿qué puedo hacer para remediar el mal que he ocasionado?

—Bastará con que juegues y saltes mar adentro, lejos de la costa y de las personas —le aconsejó Delfín.

Ballenita, deseosa de no hacer daño a los demás, se adentró en el mar y desde ese día terminaron las desgracias de los pescadores. Ballenita pudo seguir alegrando a su manera las soledades marinas.

«Escucha los consejos de tus amigos, así no tendrás enemigos.»

EL FANÁTICO

Don Halcón era de esos que van por el mundo amenazando y avasallando a los demás. Pretendía tener la razón en todo, pues estaba convencido de que sus ideas eran las únicas verdaderas y no dejaba que le llevaran la contraria

Un día, don Halcón se encontró con Micifuz, un gato adolescente de maneras reposadas y tranquilas.

—Micifuz, yo sé tanto que nunca he encontrado a nadie de mi talla —decía el inaguantable personaje.

—En eso tiene razón, porque es muy difícil que haya alguien tan pedante, prepotente y antipático como usted. El perfecto ignorante es el que cree saberlo todo y usted es uno de esos —le contestó Micifuz, dejándole de piedra.

Por primera vez, don Halcón había encontrado a alguien que le había dicho la verdad sin importarle su reacción.

«Siempre hay que decir la verdad aunque duela.»

LA RANA ENAMORADA

¿Qué mayor tragedia que enamorarse de alguien que está muy lejos? Eso le sucedió a Ranino, que se había enamorado de la Luna. Noche tras noche croaba desesperadamente intentando que le oyera su enamorada. Mas nadie le contestaba.

Poco a poco, Ranino iba languideciendo y sus vecinos se irritaban cada vez más pues Ranino no dejaba dormir a nadie. Como vieron que sus protestas no servían de nada, empezaron todos a croar al mismo tiempo en respuesta a los cantos de amor de Ranino.

Ranino, el fiel enamorado, murió de melancolía, mientras la indiferente Luna seguía en su lugar de siempre. Desde entonces muchas ranas también le croan a la Luna durante la noche y, a su vez, los vecinos contestan de la misma forma; ésta es la causa del concierto de ranas croando que se oye cuando la Luna está en lo alto del cielo.

«Evita los amores imposibles, producen una gran tristeza.»

EL LINCE CIEGO

Romualdo era un lince y el mejor vigía de Picolandia, el país de las cumbres más altas de la Tierra. Se pasaba la mayor parte del día en su puesto de observación del Pico de las Estrellas, a miles de metros sobre el nivel del mar.

Una mañana, Romualdo se despertó completamente ciego. Una misteriosa enfermedad era la causante de su desgracia. Desesperado, Romualdo se retiró a lo más profundo del bosque, pero el rey, agradecido por el trabajo que había hecho tantos años, le mandó llamar para que viviera con él en el palacio real el resto de su vida.

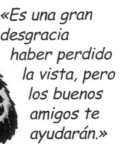

«Es una gran desgracia haber perdido la vista, pero los buenos amigos te ayudarán.»

LA RATITA EGOÍSTA

Ratina no dejaba a nadie su muñeca, ni a la pobre Ardillita a la que le gustaba tanto. Cada vez que Ardillita tendía sus patitas hacia la muñeca de Ratina, ésta la apretaba contra su pecho para no soltarla.

Una noche, Ratina soñó que Ardillita lloraba porque nadie le dejaba una muñeca. Entonces ella se acercaba y le ofrecía la suya. ¡Ardillita era muy feliz! Ratina, conmovida por su sueño, se levantó por la mañana muy contenta y, cogiendo su muñeca, corrió hacia Ardillita y se la dejó.

Por esta vez un sueño se hizo realidad y también Ratina se sintió muy feliz con su noble acción.

«Normalmente, se sueña dormido, sin embargo a veces se puede ser feliz soñando despierto.»

REGRESO AL HOGAR

Castorcete era muy hogareño, pero vivía con una hermana que siempre le estaba regañando y a veces resultaba desesperante, pues no sabía qué hacer para estar tranquilo sin temor a sus enfados.

Una noche, Castorcete decidió buscarse otro sitio donde vivir. Cuando llevaba varias horas vagando en plena oscuridad se encontró un pequeño ratón que se había extraviado. El pobre tiritaba de frío y estaba desfallecido. Sin dudarlo, Turoncete decidió llevarlo a casa.

Nada más ver a Ratoncín, la hermana de Castorcete se puso a jugar con él. Desde ese momento todo cambió en ese hogar. Castorcete y su hermana adoptaron a Ratoncín como un hermano más y los tres fueron muy felices.

«Tener compañía da una gran alegría.»

LOS REGALOS DEL REY

Conejín era un trabajador pobre y honrado. Un día decidió dedicarse a cultivar zanahorias y todo le salió muy bien.

Cuando Conejín recogió su primera cosecha regaló al rey la zanahoria más hermosa. El rey se sintió muy halagado por el gesto y, como sabía lo pobre que era Conejín, le regaló diez monedas de oro para que se comprase lo que quisiera.

Don Lobo, envidioso y holgazán, pensó en hacer lo mismo que Conejín. «Si regalo al rey diez joyas, me devolverá cien monedas de oro», se dijo el muy avaricioso.

¡Pero el rey adivinó sus intenciones! Cuando recibió las joyas enviadas por don Lobo, le obsequió ¡con la famosa zanahoria cultivada por Conejín! ¡Qué chasco se llevó el avaricioso don Lobo!

«El avaricioso siempre recibe su castigo.»

EL DESTINO

Manolo era un perrito muy feliz cuyo único sueño era ser futbolista. Lo deseaba por encima de cualquier otra cosa en el mundo.

—Seré el futbolista más famoso del mundo y nadie podrá impedirlo —decía constantemente.

—Hijo, si por alguna causa no llegas a ser un buen futbolista no te hundas por ello, a veces también hay que tener suerte —le decía su padre.

—¿Suerte? No, lo que cuenta es la voluntad —le contestaba Manolo.

Pasó el tiempo y Manolo sufrió una caída y se rompió una pata. Nada pudieron hacer los médicos por curársela y tuvieron que amputarla. Manolo ya no podría ser un futbolista famoso. Sin embargo, con el tiempo consiguió ser un comentarista de fútbol de mucho prestigio.

«En esta vida confórmate con lo que consigas.»

EL NACIMIENTO DEL PRÍNCIPE

Al bosque de Abetolandia han llegado unos heraldos que anuncian llenos de alegría y satisfacción:

—¡Un heredero al trono está a punto de nacer!

Dentro de un refugio descansa mamá Cierva a salvo del frío, necesita proteger a su nuevo cachorrito.

En efecto, Ciervito, el nuevo príncipe, trata de ponerse en pie sobre las hojas secas. Mamá Cierva, agotada, ayuda a Ciervito con ilusión.

«Las mamás siempre ayudan a los hijos.»

LA MARAVILLA DE LA NATURALEZA

Ciervito crece con rapidez. Desde el principio se muestra interesado por las bellezas naturales.

—¡Oh, esa flor vuela! —exclama admirado.

—No, eso no es una flor, es una mariposa —le explica pacientemente Ratoncín.

—¿Una mariposa? —pregunta incrédulo Ciervito, lleno de curiosidad.

—Sí, la mariposa es un animal y la flor es una planta —enseña ahora Ardillín.

Ambos, junto con Conejín, se encargan de la educación de Ciervito. A todas partes le acompañan y responden a sus numerosas preguntas. Mientras tanto, mamá Cierva vigila desde lejos que no haya peligros.

«Es muy bueno enseñar al que no sabe.»

EL INCENDIO

—¡Hum! ¿A qué huele? —pregunta Ciervito al percibir un olor extraño y desconocido.

—Yo diría que huele a... ¡quemado! —grita Ratoncín lleno de angustia.

—¡Fuego, hay fuego en el bosque! —exclama Conejín dominado por el pánico.

Todos los animales echan a correr despavoridos, intentando salvarse del fuego.

—¡Corre, hijo, corre todo lo que puedas! —le grita mamá Cierva que, de repente, surge de la espesura, preparada para ayudar a su cachorro.

Ciervito, desconcertado, echa a correr seguido por su madre. Mamá Cierva va quedando atrás y él, asustado, se queda a esperarla.

—¡No, hijo, no te detengas! ¡Huye, huye lo más rápido que puedas! Yo no puedo seguirte, lo importante es que te salves tú —le gritaba su madre, rodeada por las llamas.

«Los mayores protegen a los pequeños.»

EL REY

En esto, un gran ciervo pasa junto a él y le dice que le siga. Es su padre y Ciervito le sigue. Al final llegan a un río. Lo cruzan y allí multitud de animales los aclaman. Ciervito, angustiado, pregunta:

—¿Dónde está mi madre?

—No te preocupes, voy a salvarla.

Nada más decir esto, el majestuoso ciervo se interna en el bosque de Abetolandia.

Jamás se ha vuelto a ver a la pareja, pero en el centro del bosque calcinado se alza un tronco quemado que curiosamente tiene el mismo aspecto que el majestuoso ciervo y su compañera.

«Unos terminan su camino, pero la vida sigue.»

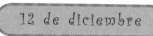

12 de diciembre

LAS ATRACCIONES

—Creo que nosotros, los padres, podemos convertirnos en atracciones para nuestros hijos en las horas libres —sugirió don Camaleón, dispuesto a hacer lo posible porque sus hijos y los demás niños pudieran divertirse sin problemas.

Así lo hicieron. Don Elefante y don Canguro paseaban a los niños. Con el cuerno de don Rinoceronte los pequeños practicaban el juego de las anillas, etc. Cuando el rey de Tubolandia lo supo, les regaló un parque de atracciones para que siempre lo tuvieran.

«En la vida se resuelven muchas cosas con imaginación.»

En Fuenteanimal, capital de Tubolandia, el Ayuntamiento estaba reunido para ocuparse de la falta de juegos y diversiones para los pequeños de la localidad.

—Nuestros hijos no tienen lugares donde jugar —decía don Canguro.

—Hace falta un parque de atracciones, pero el Ayuntamiento no tiene dinero para construir uno —se justificaba el alcalde.

13 de diciembre

EL RATÓN MENTIROSO

En el País de los Ratones, Piculín fue nombrado por el rey encargado de repartir el dinero destinado a la gente necesitada. Al principio, Piculín cumplió bien su cometido, pero al poco tiempo empezó a quedarse con parte del dinero y cada vez eran más los pobres a los que negaba la ayuda.

A los oídos del rey llegaron quejas de que Piculín se estaba quedando con parte del dinero, por lo que decidió vestirse de mendigo y pedir limosna a Piculín.

Se presentó ante él en plena noche y Piculín le gritó, hecho un energúmeno:

—¡Fuera de aquí, gandul! ¡Tú vienes a aprovecharte de mi bondad! ¡Fuera!

El rey, enfurecido, ordenó encarcelar de por vida a Piculín para escarmiento de todos los mentirosos y estafadores.

«Todo estafador merece un castigo.»

CASI AL FINAL

Doña Cigüeña era una experta tejedora y se había comprometido a tejer una alfombra de grandes dimensiones.

—Creo que en diez años podré terminarla —dijo a sus amigas.

Pasaron más de nueve años casi sin darse cuenta, y decidió ponerse a trabajar sin parar y con mucha prisa, deseosa de terminar cuanto antes, pues quería ver su obra acabada.

¡Ay! Casi al final se hizo un lío con los hilos, éstos se enredaron, cayeron al suelo y, para colmo, un gatito juguetón se encargó de destrozar la alfombra.

—¡Oh, no...! ¡Casi diez años de trabajo para esto! —se lamentaba doña Cigüeña.

«Sé constante en tu trabajo, las prisas no son buenas.»

15 de diciembre

EL ACTOR

Brontoff era un dinosaurio que tenía ideas fijas. Quería ser actor y un día se fue a unos estudios de televisión vestido de etiqueta. Una vez allí, se metió en la primera sala que encontró. En ese momento estaban rodando una película del oeste y... ¡qué lío se armó! ¡Brontoff se había puesto en mitad del escenario delante de la cámara!

—¡Corten! —gritó don Pato, el director de la película. Y le dijeron que ser fuera de la sala.

La misma escena se repitió en otras salas de rodaje y en todas ellas acabo en la calle. Sin desanimarse, Brontoff volvía a intentarlo. Una vez entró en una sala donde grababan un programa infantil con muchos niños. Éstos, al ver entrar a Brontoff, aplaudieron muchísimo y el director le contrató como actor de programas infantiles.

«El que la sigue la consigue.»

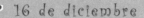

EL INCONFORMISTA

Ram era un sapo muy desgraciado pues todo le parecía mal. Siempre se quejaba por todo.

—¿Por qué habré tenido que nacer sapo? ¿Es que no podría haber sido un hermoso lince o una de esas aves que vuelan por el cielo? —se quejaba constantemente.

Sus amigos trataban en vano de razonar con él.

—Mira, Ram, es posible que haya animales más hermosos, pero seguro que los sapos pueden hacer cosas que los linces no hacen —le decía Jip con una gran sonrisa.

Era inútil. Ram estaba cada vez más amargado y no escuchaba a nadie. Sus amigos dejaron de intentar convencerle y lo abandonaron. Al final fue un gruñón solitario.

«Debemos estar contentos con lo que tenemos.»

17 de diciembre

EL PATO PRESUMIDO

Patín era un presumido que se creía superior a los demás. Siempre iba impecablemente vestido.

—¡Patín, ven con nosotros a jugar al estanque! —le dijo un día Gansito, muy animado.

—¡Bah, al estanque! Yo soy un pato elegante —contestó Patín con ese tono orgulloso con que siempre hablaba.

Sus amigos decidieron gastarle una broma. Un día que estaban en la orilla de un riachuelo, uno de ellos gritó:

—¡Socorro, fuego, hay fuego en el bosque!

Sin pensárselo dos veces, Patín se lanzó de cabeza al agua. Del golpe se le torció el pico y además quedó todo cubierto de lodo. Cuando salió parecía un pingajo sucio y sus amigos se rieron de su aspecto. ¡Cuánto sufrió Patín! Pero aprendió la lección y desde ese día fue el patito más simpático y modesto del grupo.

«El presumido y orgulloso a veces necesita recibir una lección de humildad.»

UNO YA ES BASTANTE

Ofelia era una gansa muy divertida. Todos los días se reunía con su pandilla para jugar y tenía largas tertulias con sus amigos, pues era una gran conversadora y le agradaban la compañía y las opiniones de los demás. Pero una tarde conoció a un apuesto ganso, se enamoró de él y, desde entonces, ya no volvió a quedar con sus amigos.

Al cabo de un tiempo, su novio le dijo un día:

—No debes abandonar a tus amistades. La vida se compone de muchas cosas y la amistad es muy importante. Por muy felices que seamos juntos, es bueno ver a los amigos.

Ofelia, arrepentida de su cambio de actitud, volvió de vez en cuando a ver a sus amigos, aunque ya nunca volvió a ser como antes, pues no se divertía tanto.

«Aunque te enamores no olvides a los buenos amigos.»

LA ZAPATILLA

Zof y Zuf eran dos moscas hermanas que se querían mucho, pero también reñían a menudo por cualquier tontería.

Zuf estaba siempre fuera de casa trabajando. Cuando llegaba al hogar se encontraba con que Zof le había preparado una broma.

—¿Dónde has puesto mi comida? —preguntaba Zuf, con un hambre voraz.

—No lo sé. Te la dejé preparada sobre la mesa —contestaba Zof muy divertida.

Estas bromas desesperaban a Zuf. Un día que llegó de peor humor que de costumbre, se encontró con que Zof le había escondido las zapatillas y no podía dar con ellas.

—O me das las zapatillas ahora mismo o te estropeo las alas —amenazó Zuf.

Como su hermana estalló en carcajadas, Zuf cumplió su amenaza. Desde ese día, Zof ya no gasta más bromas a su hermana.

«El buen alumno aprende a tiempo.»

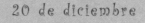

LOS CAMARADAS

Es el primer día de clase. Bufalín y Coyote conversan animadamente en el patio del colegio.

—¿Habrá nuevos alumnos este curso? —pregunta Bufalín con curiosidad, pues le gusta hacer amigos.

—No creo. Esta ciudad es pequeña y apenas hay gente nueva —contesta Coyote.

La clase está completamente llena. Los alumnos, ocupados en saludarse unos a otros, no reparan en Zorrín, que, triste y tímido, se sienta apartado en un rincón, intentando pasar desapercibido.

—Queridos alumnos, os presento a Zorrín, vuestro nuevo compañero —dice la maestra—, espero que pronto seáis todos muy amigos y os llevéis bien.

En el recreo, Bufalín y Coyote juegan con él. Desde ese momento serán amigos inseparables.

«Siempre se debe ayudar a quien no tiene amigos.»

EL ABUSO DE CONFIANZA

Doña Abeja y doña Hormiga eran muy amigas. En cierta ocasión, doña Abeja salió de viaje y dejó las llaves de su casa a su amiga. A los pocos días, doña Hormiga tuvo la tentación de entrar y darse un atracón de miel, pero en el último momento se contuvo, pues reflexionó.

«Hacer eso sería un abuso de confianza, algo indigno de nuestra amistad», se dijo.

Meses después doña Hormiga se fue de viaje y dejó las llaves de la casa a su amiga.

Al día siguiente doña Abeja, sin dudarlo ni un instante, entró en casa de doña Hormiga, dispuesta a comerse lo que hubiera en la despensa:

«¡Bah! Estoy segura de que ella también entró en la mía y se comió parte de mi miel».

¿Cuál de las dos era en realidad una verdadera amiga?

«Nunca desconfíes de los buenos amigos.»

22 de diciembre

DON RINOCERONTE

Los resfriados de don Rinoceronte eran famosos en toda la ciudad de Rinocelandia. ¡La de pañuelos que agujereaba con su largo cuerno cuando estornudaba!

Cuando, sentado en la mesa, le venía un estornudo, daba tales cabezazos contra la madera que clavaba su cuerno donde primero pillaba o rompía la mesa en pedazos. Quienes estaban con él se desternillaban de risa.

Pero a don Rinoceronte no le hacía gracia y se enfurecía terriblemente; menos mal que se le pasaba pronto.

Una vez curado el resfriado, era don Rinoceronte quien más se reía al recordar lo sucedido, pues tenía buen humor y sabía que a cualquiera le podía pasar lo mismo que a él.

«No te rías de quien pasa malos ratos. A ti te puede pasar cualquier día.»

23 de diciembre

LAS ASTAS DEL CIERVO

Dandi era un ciervo que tenía las astas vueltas hacia abajo, al revés que todos los demás ciervos, y eso le daba un aspecto cómico y siniestro. Sus vecinos, al cruzarse con él, se burlaban y se reían de su defecto.

Dandi, que al principio era un ciudadano bondadoso, se volvió huraño, pues le entristecía que se burlaran siempre de él.

«En vez de comprender mi desgracia, esos cretinos me insultan para hacerme sufrir y divertirse a mi costa», pensaba Dandi, furioso y abatido. Un día, Dandi contó su historia a un pajarito que revoloteaba y piaba sobre su cabeza.

—Yo era bueno al principio, pero ellos hicieron que me volviera malo —confesó al final, reconociendo su actitud.

Impresionado, el pajarito les relató a todos lo que le había dicho Dandi. Reconocieron que habían sido los causantes del mal carácter de Dandi. Desde entonces, arrepentidos, procuran no reírse de los defectos y las desgracias ajenas.

«Si alguien tiene un defecto, nadie se debe burlar.»

191

EL LOCUTOR

Ratoncín es el locutor más famoso de Radiolandia. Todos los días despierta a sus oyentes más o menos así:

—¡Señoras y señores, qué día tan magnífico!

También hace llamadas telefónicas. En ellas pregunta la opinión de los oyentes. Hoy ha llamado a don Ciervo, que es uno de los ciudadanos que peor humor tiene. Don Ciervo le ha colgado el teléfono después de insultarle. Pero a Ratoncín no le importa; por cada ciudadano como don Ciervo hay muchos más que le quieren y oyen su programa todas las mañanas.

«Es de agradecer el que alguien te alegre la vida con su buen humor.»

EL ENCUENTRO

Koki, una chimpancé muy simpática, vivía en África. Un día conoció a Rufi, un chimpancé anciano que se acercó y se pusieron a conversar. Hablaron durante horas.

—Estamos rodeados de maravillas que no sabemos apreciar. Observa atentamente a tu alrededor; entonces tu vida cambiará —le aconsejó Rufi.

Aunque no volvió a verle, Koki siempre se acercaba al mismo lugar y pensaba en lo que le había dicho su amigo.

—Sí, vi a Rufi sólo una vez. Sin embargo, me dio el mejor consejo de mi vida —dice Koki.

«Escucha a los ancianos, porque ellos son los que saben y te pueden enseñar.»

DON JABALÍ Y EL PERRITO

Don Jabalí no tenía familia y como no quería estar solo organizó un club de montaña.

Al principio, don Jabalí salía a la montaña casi todos los sábados. En una de sus excursiones conoció a Boliche, un perrito muy simpático y alegre. Don Jabalí supuso que se había extraviado.

—¡No, qué va! Lo que pasa es que soy un montañero de gran categoría y de vez en cuando digo a mis dueños que me voy a la montaña —le explicó Boliche.

Boliche desde ese día entró a formar parte del club de don Jabalí y cuando éste ya no podía salir de excursión porque era muy mayor, él era el que organizaba las excursiones de los sábados y se las contaba después a don Jabalí. Eso sí, el resto de la semana trabajaba cuidando la casa de sus amos.

«La amistad no tiene edad.»

LA PELOTA

Los recreos en la escuela de Pago-Pago eran muy famosos porque siempre sucedía algo durante el partido de fútbol. Generalmente se perdía la pelota y entonces se terminaba el partido.

Un día, todos jugaron con mucho cuidado para no perderla. Hasta que Elefantín, que era el portero de los rojiblancos, sacó demasiado fuerte la pelota y ésta se fue ¡directamente a las nubes! Todos esperaron que cayese pero, por más que buscaron hasta en las copas de los árboles cercanos, ¡ni rastro de la pelota! Al día siguiente, doña Avestruz aclaró todo:

—¡Menudo lío preparasteis! Don Pelícano iba hablando con doña Gaviota en pleno vuelo, cuando se encontró con el pico desencajado... ¡y una pelota dentro!

En Pago-Pago se habló durante mucho tiempo «del misterio de la pelota perdida».

«Se debe jugar pensando en los demás.»

LOS SANTOS INOCENTES

En Juergalandia todo el mundo gasta inocentadas a los amigos el día de los inocentes. A doña Pava le quemaron unos gamberros la cola de su vestido. Peor suerte corrió don Cocodrilo, que perdió la mitad de sus innumerables dientes al morder un petardo que había confundido con la tibia de un dinosaurio. Y qué decir de don Hipopótamo, honrado ciudadano que casi se vuelve loco cuando le dijeron que le había tocado la lotería. ¡La de cosas que había soñado comprar!

Según dicen, después de la euforia, al saber que era una broma, don Hipopótamo salió corriendo furioso detrás del bromista, al que todavía sigue buscando.

«En los Santos Inocentes hay que tener cuidado con las inocentadas.»

EL CARTERO

Osón es el mejor cartero del país. Cuando llega, los vecinos salen a su encuentro. Casi siempre trae buenas noticias y, cuando son malas, Osón suele tener preparadas unas palabras de consuelo. Hoy, que queda poco para la llegada de los Reyes Magos, Patón no ha venido a la hora acostumbrada. «¿Le habrá pasado algo?», se preguntan todos. Van a su casa y allí le encuentran metido en la cama, enfermo con calenturas.

—¡Venga, Osón, no te hagas el remolón y cúrate pronto, te necesitamos! —le dicen sus vecinos—. ¡Mira, te hemos traído unos regalos!

Nada hay como la alegría y el buen humor para ser querido y respetado. Pocos días después Osón ya se ha curado.

«Al cartero se le espera con ilusión y siempre es bien recibido.»

LAS CERILLAS

Chusco y Tití son dos cachorros de león muy revoltosos y traviesos. Su madre, doña Leona, les tiene prohibido jugar con cerillas.

Un día, hacen prisionero a un gatito y lo atan a un palo para jugar a los indios. A escondidas, para que nadie pueda verlos, hacen una fogata en el jardín.

Han atado al pobre gatito, que maúlla muy asustado mientras ellos dan saltos y aúllan como si estuvieran haciendo un ritual indio.

Distraídos con su juego, no se dan cuenta de que el viento mete el humo en la casa del vecino y todos tienen que salir fuera para no asfixiarse. Doña Leona adivina rápidamente quiénes han hecho la hoguera y está dispuesta a darles un buen escarmiento. Le parece muy mal que la hayan desobedecido, pero es peor aún el susto que le han dado al pequeño gatito. Les castiga sin salir de casa dos meses, excepto para ir al colegio.

«Si has desobedecido, acepta el castigo.»

LOS EXPERIMENTOS

Guepardín y Leopardín son grandes aficionados a los experimentos. Quieren probar sus nuevos polvos pica-pica y se los echan a Elefantín, un compañero nuevo, para ver si funcionan de verdad.

Cuando Elefantín respira los polvos le hacen efecto al instante: empieza a rascarse frenéticamente y a dar saltos en clase, armando un gran revuelo. Después tose y lagrimea, el pobre lo está pasando muy mal.

Don Búho, el profesor, castiga a toda la clase sin recreo menos a Elefantín. Guepardín y Leopardín se levantan y dicen que han sido ellos, para que no castigue a todos sus compañeros injustamente. Arrepentidos, deciden dedicar su ingenio a cosas provechosas para los demás y no molestar a los otros con sus experimentos.

«No dejes que echen la culpa a quien no la tiene.»

ÍNDICE

Enero
Una aguja en un pajar	7
Serenata a una perrita	8
La tortuga	8
La leona	9
El tigrito que se mordía las uñas	9
El matrimonio Osón	10
El gato, el zorro y el gallo	10
El gatito glotón	11
El león y la ardillita	11
El lenguaje del patito	12
El hipopótamo egoísta	12
Los dos gatitos	13
La vaca y el perro	13
Los dos cangrejos	14
La rana y el buey	14
El oso miedoso	15
La ballenita orgullosa	15
Los gatos y los ratones	16
El dinosaurio	16
Los ratoncitos desobedientes	17
La gallina enferma	17
¡Ya llega el invierno!	18
El oso hormiguero y el ratón	18
Doña Jirafa	19
La paloma y la hormiga	19
La liebre y la mariposa	20
El pato guasón	20
El buen tiempo y la lluvia	21
El ciervo vanidoso	21

Febrero
La ratita presumida	22
La zorra y la rana lista	23
La abeja holgazana	23
El cerdo y el jabalí	24
El zorro y el cuervo	24
Mini-maus y Marramiau	25
El gato mendigo	25
El mapache herido	26
La liebre que tocaba el violín	26
Galgos o podencos	27
El cerdito gordo	27
El pingüino glotón	28
El león y el mosquito	28
El perro y el zorro	29
Los tres zorritos	29
La tortuga y el águila	30
La ovejita negra	30
Los lobos y los corderos	31
La liebre y el carnero	31
El cocodrilo mentiroso	32
El pavo real y la grulla	32
Los cerdos débiles	33
El caballo descontento	33
El oso pescador	34
El erizo generoso	34
Fiesta	35
El buey y el caballo	35

Marzo
La tortuga y el mono	36
El gusanito	37
El lobo y el cabrito	37
El lobito guardián	38
Las dos mariquitas	38
La lechuza y las palomas	39
El ratoncito orgulloso	39
La pluma de ganso	40
Los dos burros	40
El juego del escondite	41
La lechuza	41
La cabra y la mula	42
El elefante blanco	42
La nutria	43
El rey mono y la zorra	43
El pulpo goloso	44
La urraca ladrona	44
El cangrejo rojo	45
Las dos ranas	45
La reunión	46
La familia Lirón	46
El mirlo blanco	47
La zorra y la cigüeña	47
La abejita exigente	48
La foca y los libros	48
El tejón trasnochador	49
La luciérnaga	49
La liebre y el gato	50
Conejita, la castañera	50
El cumpleaños de la hormiga	51
El vendedor de alfombras	51

Abril
El saltamontes mensajero	52
La conejita de las orejas grandes	53
El topo descontento	53
Las liebres y las ranas	54
La urraca	54
La abeja golosa	55
La perrita que no comía	55
El lobo fanfarrón	56
El puercoespín guardián	56
El oso malo	57
El caracol envidioso	57
Los burros listos	58
El ratoncillo que quería volar	58
La liebre de Pascua	59
El canguro salvador	59
Los tres buenos amigos	60
El perrito que hacía cometas	60
El patito feo	61
El hipopótamo que quería ser delgado	61
El leopardo burlado	62
La trompa del elefante	62
El oso goloso	63
El saltamontes y el perro	63
El lobo y la luna	64
La vanidad burlada	64
El elefante cobardica	65
El ratoncillo desobediente	65
El fin de un sueño	66
El cumpleaños de Minino	66
Todos desean lo que no tienen	67

Mayo
El conejito comilón	68
La sorpresa de don Lirón	69
El grillo afónico	69
El chimpancé constructor	70
Cuatro cerditos	70
La vivienda del gusanillo	71
Dos amiguitas	71
El pato deportista	72
El tío generoso	72
La trucha traviesa	73
Dos mariquitas	73
Un loro poco puntual	74
El maestro Uva	74
Dos moscas y un juego	75
La ovejita dormilona	75
La estrellita de mar	76
El búho miope	76
El pececito de colores	77
El saltamontes triste	77
La hormiga que no guardaba secretos	78
Las pulgas y el perro	78
El gatito y el canario	79
Terri y el gato malo	79
El cervatillo y su prima	80
El pequeño gorrión	80
La cigarra desobediente	81
El canto del ruiseñor	81
El pollito mentiroso	82
Las apariencias	82
El pavo real	83
El toro y las cabras	83

Junio
La oveja	84
Pulpo aventurero	85
El flamenco avaricioso	85
El profesor Delfín	86
El rinoceronte y la gaviota	86
Las dos arañas	87
El tigre dibujante	87
La leoparda juguetona	88
La hormiga trabajadora	88
El burro tramposo	89
El señor y la señora Avestruz	89
El pelícano ladrón	90
La ratita bailarina	90
La oca parlanchina	91
El canguro que saltaba hacia atrás	91
El hipopótamo perezoso	92
El perrito malo	92
El tímido jilguero	93
El rey enfermo	93
El oso blanco	94
Los dos pingüinos	94
La lagartija testaruda	95
Los caballos rivales	95
El leopardo pelotilla	96
El koala sucio	96
La liebre mendiga	97
El vendedor de botones	97
El elefante malvado	98
El cachalote	98
El lobo conductor	99

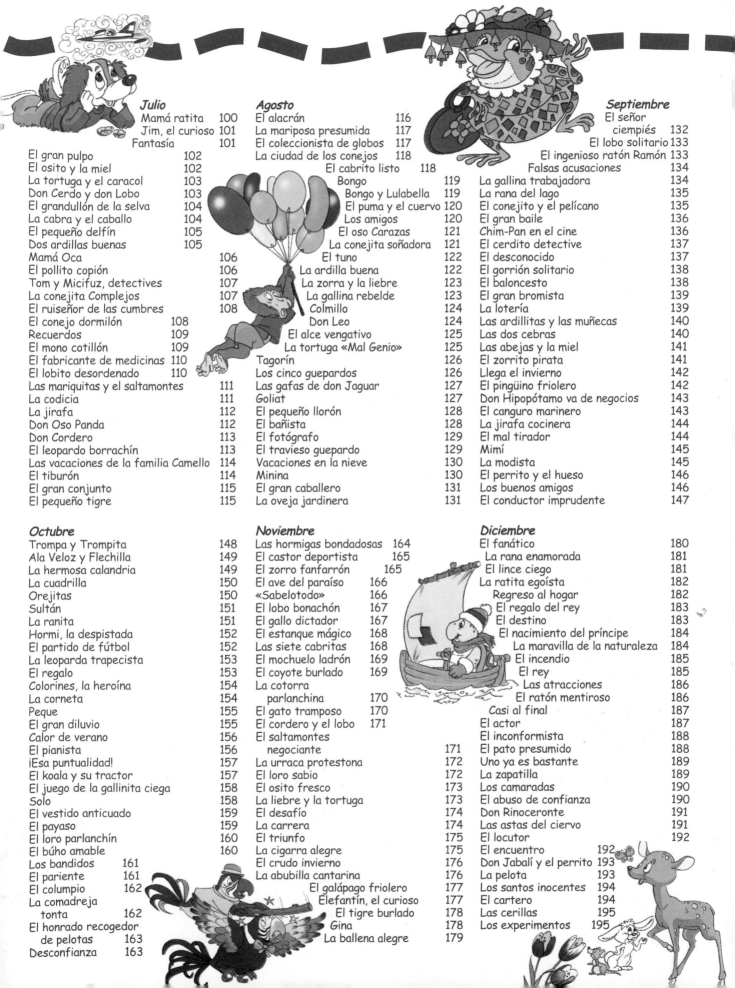

Julio

Mamá ratita	100
Jim, el curioso	101
Fantasía	101
El gran pulpo	102
El osito y la miel	102
La tortuga y el caracol	103
Don Cerdo y don Lobo	103
El grandullón de la selva	104
La cabra y el caballo	104
El pequeño delfín	105
Dos ardillas buenas	105
Mamá Oca	106
El pollito copión	106
Tom y Micifuz, detectives	107
La conejita Complejos	107
El ruiseñor de las cumbres	108
El conejo dormilón	108
Recuerdos	109
El mono cotillón	109
El fabricante de medicinas	110
El lobito desordenado	110
Las mariquitas y el saltamontes	111
La codicia	111
La jirafa	112
Don Oso Panda	112
Don Cordero	113
El leopardo borrachín	113
Las vacaciones de la familia Camello	114
El tiburón	114
El gran conjunto	115
El pequeño tigre	115

Agosto

El alacrán	116
La mariposa presumida	117
La coleccionista de globos	117
La ciudad de los conejos	118
El cabrito listo	118
Bongo	119
Bongo y Lulabella	119
El puma y el cuervo	120
Los amigos	120
El oso Carazas	121
La conejita soñadora	121
El tuno	122
La ardilla buena	122
La zorra y la liebre	123
La gallina rebelde	123
Colmillo	124
Don Leo	124
El alce vengativo	125
La tortuga «Mal Genio»	125
Tagorín	126
Los cinco guepardos	126
Las gafas de don Jaguar	127
Goliat	127
El pequeño llorón	128
El bañista	128
El fotógrafo	129
El travieso guepardo	129
Vacaciones en la nieve	130
Minina	130
El gran caballero	131
La oveja jardinera	131

Septiembre

El señor ciempiés	132
El lobo solitario	133
El ingenioso ratón Ramón	133
Falsas acusaciones	134
La gallina trabajadora	134
La rana del lago	135
El conejito y el pelícano	135
El gran baile	136
Chim-Pan en el cine	136
El cerdito detective	137
El desconocido	137
El gorrión solitario	138
El baloncesto	138
El gran bromista	139
La lotería	139
Las ardillitas y las muñecas	140
Las dos cebras	140
Las abejas y la miel	141
El zorrito pirata	141
Llega el invierno	142
El pingüino friolero	142
Don Hipopótamo va de negocios	143
El canguro marinero	143
La jirafa cocinera	144
El mal tirador	144
Mimí	145
La modista	145
El perrito y el hueso	146
Los buenos amigos	146
El conductor imprudente	147

Octubre

Trompa y Trompita	148
Ala Veloz y Flechilla	149
La hermosa calandria	149
La cuadrilla	150
Orejitas	150
Sultán	151
La ranita	151
Hormi, la despistada	152
El partido de fútbol	152
La leoparda trapecista	153
El regalo	153
Colorines, la heroína	154
La corneta	154
Peque	155
El gran diluvio	155
Calor de verano	156
El pianista	156
¡Esa puntualidad!	157
El koala y su tractor	157
El juego de la gallinita ciega	158
Solo	158
El vestido anticuado	159
El payaso	159
El loro parlanchín	160
El búho amable	160
Los bandidos	161
El pariente	161
El columpio	162
La comadreja tonta	162
El honrado recogedor de pelotas	163
Desconfianza	163

Noviembre

Las hormigas bondadosas	164
El castor deportista	165
El zorro fanfarrón	165
El ave del paraíso	166
«Sabelotodo»	166
El lobo bonachón	167
El gallo dictador	167
El estanque mágico	168
Las siete cabritas	168
El mochuelo ladrón	169
El coyote burlado	169
La cotorra parlanchina	170
El gato tramposo	170
El cordero y el lobo	171
El saltamontes negociante	171
La urraca protestona	172
El loro sabio	172
El osito fresco	173
La liebre y la tortuga	173
El desafío	174
La carrera	174
El triunfo	175
La cigarra alegre	175
El crudo invierno	176
La abubilla cantarina	176
El galápago friolero	177
Elefantín, el curioso	177
El tigre burlado	178
Gina	178
La ballena alegre	179

Diciembre

El fanático	180
La rana enamorada	181
El lince ciego	181
La ratita egoísta	182
Regreso al hogar	182
El regalo del rey	183
El destino	183
El nacimiento del príncipe	184
La maravilla de la naturaleza	184
El incendio	185
El rey	185
Las atracciones	186
El ratón mentiroso	186
Casi al final	187
El actor	187
El inconformista	188
El pato presumido	188
Uno ya es bastante	189
La zapatilla	189
Los camaradas	190
El abuso de confianza	190
Don Rinoceronte	191
Las astas del ciervo	191
El locutor	192
El encuentro	192
Don Jabalí y el perrito	193
La pelota	193
Los santos inocentes	194
El cartero	194
Las cerillas	195
Los experimentos	195